마이너스에서 억대매출까지

억수르 지음

마이너스에서 억대매출까지

발행	2024년 12월 18일
저자	억수르
디자인	억수르
편집	억수르
펴낸이	송태민
펴낸곳	열린 인공지능
등록	2023.03.09(제2023-16호)
주소	서울특별시 영등포구 영등포로 112
전화	(0505)044-0088
이메일	book@uhbee.net
ISBN	979-11-94006-44-2

www.OpenAIBooks.com

공인중개사
마이너스에서
억대매출까지

프롤로그

마이너스에서 억대로
: 공인중개사의 첫걸음에서 성공으로 가는 여정

3년 전, 자격증 취득 후 곧바로 사무실을 차렸다. 그렇게 공인중개사의 첫발을 내디뎠을 때, 나는 무한한 가능성과 큰 성공을 꿈꿨다. 누구나 그렇겠지만, 현실은 예상과는 달랐다. 공인중개사를 시작하기 전에는 수많은 성공 사례를 보며 나도 충분히 해낼 수 있을 거라는 막연한 자신감이 있었다. 불안감보다는 기대감이 더 컸다. 하지만 첫해는 내게 엄청난 도전이자 큰 깨달음을 주는 시간이었고, 그 시간들은 결코 쉽지 않았다.

현실의 벽에 부딪히다

첫 고객을 맞이했을 때의 설렘은 아직도 생생하다. 사무실을 열고 잠시 기다리면 손님이 오리라는 막연한 기대도 있었다. 하지만 그 기대와는 전혀 다른 현실이었다. 문을 열고 한참을 기다려도, 예상만큼 손님이 오지 않았다. 사무실 운영에 필요한 비용은 계속 쌓이는데, 매출은 제로에 가까웠다. 마이너스 통장을 보며 점점 더 깊어지는 불안감에 사로잡혔다. 매일 아침 출근해 잠시라도 문의 전화가 오기를 기다리며 긴 하루를 버텼지만, 그런 날이 계속되다 보니 희망이 사라지는 듯했다.

처음에는 단순히 "조금만 더 기다리면 되겠지"라는 생각을 했다. 하지만 시간이 지나면서 초조함과 불안감은 점점 더 커져만 갔다.

사무실을 나 혼자 매일 지키고 있으려니, 점점 더 '내가 잘못된 선택을 한 건가?'라는 생각이 머리를 스쳤다. 포기하고 싶은 생각이 몇 번이고 들었다.

포기할 것인가, 돌파할 것인가

포기하고 싶은 생각이 들면서도, 나는 스스로에게 물었다. "왜 이 길을 선택했지?" 돌이켜보니, 도전을 통해 무언가를 이뤄내고 싶었다는 게 떠올랐다. 처음 마음가짐이 떠오르니 '이대로 좌절할 수 없다. 한 번 더 해보자'라는 각오가 생겼다.

사업 초기에는 오직 중개 실력만으로 승부할 수 있을 거라 믿었다. 좋은 물건을 소개하면 고객이 자연히 찾아올 거라고 생각했다. 하지만 곧 깨달았다. 아무리 좋은 물건을 가지고 있어도, 고객이 알지 못하면 소용이 없다는 사실을. 정보와 광고의 힘을 처음으로 깨닫게 된 순간이었다.

그때부터 내가 가장 잘 할 수 있는 분야를 찾아봤다. 내가 알던 마케팅과 중개업마케팅은 전혀 다른 분야였다. 투잡으로 운영하던 블로그와 사업에 적용하는 블로그는 운영방식이 전혀 달랐다. 생소하고 낯설었다. 중개업 마케팅에 대해 알아보지 않고서는 상황을 바꿀 수 없었다. "고객이 나를 어떻게 찾을까? 나와 어떻게 연결될까?" 이런 질문에서 시작했다. 중개업 마케팅 공부를 하면서 블로그 뿐만 아니라 광고의 필요성을 느꼈다. 네이버 블로그에 공인중개사로서의 일상과 지역시장 정보, 부동산 관련 팁들을 올리기 시작했다. 이게 고객의 신뢰를 얻는 첫걸음이라고 생각했다.

블로그와 파워링크, 네이버 카페의 시너지 효과

네이버 블로그가 조금씩 성과를 내기 시작하자 더 다양한 마케팅 방법을 시도해 보고 싶어졌다. 단순히 블로그에 글을 올리는 것에서 한 걸음 더 나아가 파워링크 광고를 통해 잠재 고객의 관심을 끌고, 네이버 카페를 활용해 커뮤니티에서 신뢰를 쌓는 방식으로 접근했다.
블로그가 개인적인 연결고리라면, 파워링크는 더 넓은 고객층에게 다가갈 수 있는 마케팅 도구였고, 네이버 카페는 네트워크를 확장해 나가는 커뮤니티의 장이었다.

처음에는 모든 것이 낯설고 어렵기만 했다. 하지만 하나하나 익히고 경험을 쌓으면서 자신감이 생겼다. 고객들이 파워링크 광고를 통해 내 블로그로 유입되고, 블로그에서 정보를 읽으며 신뢰를 쌓은 후, 카페에서 더 깊이 있는 상담을 요청하게 되는 흐름을 만들어가는 과정이 꽤 흥미로웠다.

AI의 도입: 자동화와 효율성

특히 AI의 도입은 내 일에 있어 새로운 변화를 만들어주었다. 네이버와 AI를 활용해 상담 예약이나 초기 응대 프로세스를 시스템화하고, 반복되는 문의 사항에 답변할 수 있는 챗GPT를 도입 하면서 시간을 많이 절약할 수 있었다. AI가 내 업무의 일부를 자동으로 처리해 주니 고객에게 더 많은 시간을 쏟고, 개인적인 소통을 할 수 있게 되었다.

더 나아가 AI를 통해 고객 데이터를 관리하고 분석하면서 고객의 니즈를 파악하고, 맞춤형 상담을 제공하는 방식으로 고객과의 신뢰 관계를 더욱 강화했다. 특히나 고객 맞춤형 콘텐츠를 제공하면서, 고객들은 내가 제공하는 정보와 서비스에 만족감을 느끼고 더욱 신뢰하게 되었다

억대 매출로의 전환점

살아남기 위해 시작했던 마케팅이었지만, 점차 내 사업의 필수적인 요소가 되어갔다. 그러던 어느 날, 마침내 억대 매출이라는 성과를 거두게 되었다. 그 순간은 이루 말할 수 없는 기쁨이었다. 혼자서 모든 것을 이뤄낸 것은 아니었지만, 끊임없이 배우고 노력한 결과였기에 더욱 값졌다.

고객들이 나를 신뢰하고 찾아오는 모습을 보면서, 내가 올바른 방향으로 나아가고 있다는 확신이 들었다. 마케팅이 단순한 홍보의 도구가 아니라, 고객과의 관계를 맺고 신뢰를 쌓아가는 과정이라는 것을 다시금 깨달았다. 억대 매출은 단순한 숫자가 아니라, 내가 이룬 성공의 결과물이자 앞으로의 성장 가능성을 보여주는 이정표가 되었다

이 책을 통해 전하고 싶은 메시지

이 책은 내가 마이너스였던 시절에서 억대 매출로 전환하기까지의 여정을 고스란히 담았다. 단순히 성공한 방법만을 나열하는 것이 아니라, 그 과정에서 마주했던 실패와 어려움, 그리고 그로부터 배운 교훈들을 함께 나누고자 한다. 공인중개사로서 성장하고자 하는 분들에게 이 책이 작은 영감과 실질적인 도움이 되기를 바란다.

부동산 시장은 끊임없이 변화하고 있고, 그에 맞춰 우리의 마케팅도 변화해야 한다. 이 책에서 다룰 마케팅 기법은 한때 나를 살려준 도구이자, 여러분이 더 나은 중개사로 성장하는 데 있어 든든한 무기가 될 것이다. 단 한 번의 시도로 모든 것이 완벽해질 순 없겠지만, 이 여정을 시작하면서 나와 함께 성장의 발판을 마련할 수 있기를 바란다.
끊임없이 노력하고 변화하는 과정에서 여러분의 꿈과 목표가 이루어지기를 기대한다.

목차

1장

공인중개사개업1년차, 가정파괴의 위기

마이너스의 시작 : 사무실부터 첫 계약까지

자격증을 따고 여유도 없이 부동산을 알아보러 다녔다. 첫 번째 후보지는 현재 거주하는 지역이고, 두 번째 후보지는 내가 과거에 살았던 지역이었다. 실무 경험 없이 바로 오픈하는 리스크가 있기에 모르는 지역에서 부동산을 한다는 용기는 없었다.

정보를 얻을 곳은 부동산 투자를 하면서 연락하며 지내던 부동산 소장님이었다. 합격하면 방문하라고 하셨는데 그 때 표정은 되겠어? 라는 걸 난 느낄 수 있었다. 다행히 합격하고 부동산을 방문해서 대화를 나눴다. 지금은 당연한 거라고 생각하지만 그 당시에 가장 궁금한 건 컴퓨터를 몇 대 써야 되는지 지도는 어디서 사는지 사장님은 돈을 잘 버는지 기초 지식을 얻을 곳이 없었다.

부동산을 차릴 때 들어가는 비용과 어떤 식으로 세팅을 하고 레이아웃을 잡아야 하는지도 몰랐고 몇 평에 해야 되는지 권리금은 얼마인지 부동산에 방문해서 부동산 알아본다고 해야 되는지 도통 알 길이 없었다. 영업을 하고 계시기에 질문 폭탄을 할 수도 없어서 3가지만 질문을 했다.

첫 번째는 부동산 차리면 좋아요? 대답은 좋다였다. 당시 60대 중반 정도 되셨는데 지금 나이에 이만한 직업이 없다고 하셨다.

두 번째 질문은 어떤 종목을 추천하세요? 나이가 젊고 마케팅을 잘하면 상가를 해봐~ 돈 벌면 재건축 재개발 투자해서 아파트로 지어질 때 단지 내 상가에서 아파트 해~ 내가 투자했던 분양권을 사고팔고 세입자를 모두 맞춰준 사장님인지 역시 투자 이야기가 빠지지 않았다. 하지만 갑자기 의문이 들었다. 사장님은 왜 상가를 하지 않으실까 행정사 자격증도 있고 경력도 많고 상가가 돈이 된다고 하셨는데 너무 궁금했다. 사장님은 지인들이 상가하면서 스트레스로 힘들어하는 사람이 한 둘이 아니라고 하셨다. 자세한 이야기는 안 해주셨는데 그 당시에는 그렇구나 했지만 이제는 그 당시 사장님의 언어가 이해가 된다.

세 번째 질문은 사장님 제가 아파트를 한다고 하면 어느 지역을 추천하세요? 여기 지역도 괜찮아요? 사장님의 대답은 구체적인 지역인 이야기 안 해주셨고 아파트는 구축이 너무 힘들다고 하셨다. 하자 스트레스가 심하다고 하셨고 방충망 공사, 인터폰 공사 등 잡다한 걸 직접 다 수리하신다고 하셨다. 그러면서 옆에 있던 여자 사장님이 여기 권리금만 잘 받으면 인근 신축 아파트로 가고 싶다고 하셨다. 나는 다음날 여자 사장님이 이야기한 신축 아파트를 방문했다. 여기는 내가 오래 거주했던 인근이고 잘 아는 곳이었다. 이날 둘러보니 신축 아파트 상가는 공실 천국이었다. 이상하게 느낌이 왔다.

바로 다음날 아내와 방문을 하고 여기에서 나의 첫 중개업을 도전하기로 결정했다.

위치를 결정한 후 또 다른 궁금증이 생겼다. 상가 매물을 안내받아야 되는데 부동산에 가서 부동산 한다고 하면 싫어하지 않을까라는 생각이 들면서 이 많은 부동산 중에 어디를 가야 될지 알 길이 없었다.

네이버에 해당 아파트를 검색하고 온라인을 가장 활발하게 하는 부동산을 찾아갔다. 부동산을 한다고 하니 지금 시기에 부동산을 하신다고요? 라는 의심의 눈초리였다. 의사를 명확히 밝히고 시기도 시기인 만큼 금액 맞으면 당장 계약을 하겠다고 하였다. 그렇게 첫 사무실을 얻게 되었다. 나의 첫 계약도 부동산 사무실을 계약해 주었던 소장님과 공동중개였다. 아파트에서 중개를 한다면 공동중개를 피할 수 없다. 부동산 자리를 알아보는 시점부터 영업의 시작이다.

인테리어를 한다면 수도권 신도시 임장을 추천한다.
< 미사 광교 위례 검단 동탄 >

사무실을 계약하고 이제는 내부를 어떻게 꾸며야 되는지 난관의 벽에 부딪쳤다. 막연하게 테이블과 컴퓨터 사고 지도 달면 되겠지라는 생각으로 접근을 했다. 현실에 다가오니 이것만으론 당연히 부족했다. 내부 사이즈를 측정하고 인테리어 공사전에 레이아웃을 정해야 된다. 그리고 간판 사무용품 도장 프린터기 인터넷 설치 쓰레기통 냉장고 등등 끊임없이 준비할게 생겨나기 시작한다.

인테리어 정보를 얻기 위해 주변 부동산의 상황을 점검했다. 내가 있는 지역은 인테리어에 돈을 투자한 곳이 거의 없었다. 주변 부동산이 인테리어를 안 했으면 안 해도 된다는 말이 있지만, 나의 생각은 달랐다.

초보인 나에겐 기회라고 생각했다. 나라는 존재감을 보여줄 기회였다. 어떻게 인테리어를 해야 될지 고민이 되던 시기에 수도권에 있는 신도시 임장을 다니면서 아이디어를 얻었다. 조명 색감 테이블 의자는 기본이고 레이아웃을 참고하기에 좋다. 물론 인테리어는 단순 주목에 불과한 건 맞다.

누군가는 단순 주목으로 끝낼 것이고 누군가는 단순 주목으로 접하게 된 고객을 기회라고 생각하고 응대를 할 것이다. 난 후자였다. 권리금을 주고 사무실을 인수한다면 간판에 이름만 바꾸고 하는 경우가 많다. 나의 사무실을 얻고자 깨끗한 신축으로 입주를 하였는데 외관보다는 매물 확보가 되어있는 사무실을 추천한다. 물론 권리금을 주고 인수를 해야 된다.

나의 케이스는 인테리어로 효과를 보았다. 주변 부동산보다 인테리어에 힘을 준 덕분에 3040 고객들이 인테리어가 이뻐서 눈 여고 보고 있었다. 한번 방문해 보고 싶었다. 어차피 갈 거면 이렇게 깨끗한 곳 온다 등등 인테리어 전략은 관심 끌기에 성공적이었다. 하지만 매물이 살아있는 권리금 사무실을 추천한 이유는 칭찬으로 방문한 고객이 전부다 계약으로 이어지지 않기 때문이다. 1순위는 매물이다. 손님보다 중요한 게 매물이다. 렌트프리 기간을 꽉 채워서 인테리어를 하려고 했던 건 큰 실수였다. 빠르게 개업을 하고 렌트프리 기간도 영업 기간으로 가져가질 못했다. 날짜는 당길 수 있었지만 막상 개업을 하려고 하니 겁이 났다.

개업 첫날, 나는 사무실 내부를 예쁘게 꾸미고 모든 준비를 마쳤다. 그때만 해도 “이제 손님이 알아서 찾아오겠지”라는 순진한 기대를 품고 있었다. 개업을 하면서 나름대로 준비는 했다고 생각했지만, 실상은 아무 계획도 없었다. 주변에서 “개업하면 일단 손님이 몰린다”라는 말을 들었고, 오픈 빨이라는 것이 존재한다고 생각했다. 그런 믿음으로 출발했다. 그때까지만 해도 나는 계획보다는 실행이 중요하다고 믿었다. 무작정 시작하는 것이 답이라고 생각했기 때문이다. 그리고 당분간은 괜찮을 거라 생각했다.

하지만 몇 달이 지나면서 그 믿음이 얼마나 허황된 것인지 깨닫기까지는 그리 오랜 시간이 걸리지 않았다. 처음 찾아왔던 몇몇 손님들을 다시 돌이켜보니, 그들이 가져온 매물은 거래가 성사되기 어려운 물건들이었다. 다른 부동산에 내놓은 것보다 나에게 더 비싼 가격에 내놓았던 것이었다. 그들은 내가 초짜라는 것을 알아차리고 나를 쉽게 보고 있었다. 하지만 그때는 그 사실조차 몰랐다. 나는 손님이 오기만 하면 기뻤다. 상담만 해도 성공이라고 생각했고, 그저 친절하게 응대하는 것으로 충분하다고 여겼다.

친절은 나의 무기였다. 그때까지만 해도 내가 친절하기만 하면 손님이 감동하고, 결국 계약으로 이어질 것이라 믿었다. 하지만 곧 깨달았다. 친절만으로는 절대 계약이 성사되지 않는다. 친절은 기본일 뿐, 진정한 성과를 내기 위해서는 더 많은 것이 필요했다.

계약의 압박, 그리고 초조함

오픈 시 그 많던 손님이 2개월 차가 되면서 점점 줄어들었다. 개업 초반의 오픈 빨도 금세 사라졌다. 그때부터 초조함이 시작됐다. 특히, 계약 당시 렌트프리(무상 임대) 기간이 끝나가고 있었다. 이제는 매달 월세를 내야 할 시점이 온 것이다. 월세 부담은 나를 더 불안하게 만들었다. 나는 점점 다른 부동산과 나를 비교하기 시작했다. 우리 사무실에는 손님이 없는데, 다른 부동산에는 손님이 끊이지 않는 것처럼 보였다. 그렇게 남과 비교하면서 초조함은 더욱 커졌다.

“6개월 정도 지나면 계약이 나오기 시작한다”

주변에서 하는 말을 듣고, 다시 한번 마음을 편히 먹으려 했다. 그래 아직 시간은 있다고 스스로를 위로했다. 하지만 현실은 녹록지 않았다. 개업 후 6개월이 지나도록 큰 성과는 없었다. 그리고 가족들, 친구들로부터 지속적으로 첫 계약에 대한 질문이 들어오기 시작했다.

"첫 계약은 했어?"

라는 질문에 나는 점점 압박감을 느꼈다. 계약이라는 것이 이제는 나에게 큰 산처럼 느껴졌다. 어느 순간 목표가 계약으로 바뀌었고 모든 행동들이 계약을 하기 위한 모습으로 바뀌었다.

친절만 했던 나의 모습에서 세일즈를 하기 시작했다. 하지만 문제가 생겼다. 나는 세일즈라고 생각했지만 고객은 강매로 느끼고 있었다. 점점 나의 모습은 잃어가고 나의 정체성에 대한 혼란까지 오고 있었다.

난 대표이고 눈앞에 계약에 목숨 거는 모습은 장기적으로 이득이 되지 않을 거라 판단이 되었다. 가장 먼저 인정하기로 마음먹었다. 초보로 보이지 않기 위해 주절주절했던 나의 멘트, 지금 해야 된다는 심리적 압박 주기를 멈추고 고객에게 나의 모습을 인정하기로 했다. 그들의 눈에는 나의 주절주절 멘트가 더 초보로 보이고 신뢰가 없었을 것이다. 모르는 것도 아는척했던 모습에서 초보를 인정한 모습으로 바꿨다.

고객이 모르는 질문을 하면 고객님 사실 제가 시작한 지 얼마 안돼서 그 부분은 정확히 말씀드리기가 어렵습니다. 하지만 다른 사람들은 상대하는 사람들이 많아서 고객님만을 위한 집중이 어려울 겁니다. 저는 고객님이 저의 유일한 손님입니다. 고객님 한 분에게 모든 집중을 할 것이고 협의 보서나 광고에 없는 매물들도 확보해서 안내드리겠습니다. 저랑 일주일만 소통해 보시죠 이 고객은 나의 첫 계약 손님이 되었다.

첫 계약이 이루어졌을 때의 기쁨은 이루 말할 수 없었다. 나는 마침내 공인중개사로서 성공의 첫걸음을 뗐다는 생각에 주변 사람들에게 자랑하고 싶었다. 하지만 기쁨도 잠시, 그 계약 하나로 모든 것이 바뀌지는 않았다. 6개월 동안 일하면서 겨우 하나의 계약을 성사시켰고, 여전히 마이너스 상태였다. 첫 계약이 성사되었음에도, 그 후로 이어지는 계약은 없었다. 나는 다시 불안해지기 시작했다.

"다음 계약도 6개월이 걸리는 건 아닐까?"
"이 일을 그만둬야 하는 건 아닐까?"

많은 생각들이 머릿속에서 맴돌기 시작했다.

포기할 것인가, 다시 도전할 것인가

그때 처음으로 포기를 고민했다. 더 버티면 손해를 보는 것 같고, 그만두면 그간의 노력이 물거품이 될 것 같았다. 10개월 동안 공부하고 빠르게 개업했는데, 이렇게 쉽게 포기하는 건 내 자존심이 허락하지 않았다. 첫째는 3살, 둘째는 태아일 때, 나는 중개사 자격증을 따고 바로 사업을 시작했다. 가정에 신경을 쓸 수가 없었다. 이대로 포기하기엔 책임감이 있었고, 여기서 무너질 수 없었다. 그 시점에서 다시 한번 마음을 다잡았다.

하지만 그때까지도 나는 자신의 부족한 점을 정확히 파악하지 못했다. 계약이 성사되지 않으면 스스로를 탓하지 않고, 그저 상황이 나쁘다고 생각했다. 나 자신을 제대로 성찰하지 않았고, 그 결과 마이너스 상태는 점점 더 심각해졌다. 이제는 단순한 실패가 아니라, 사업 자체가 위태로운 지경에 이르렀다. 매출 0원에서 마이너스 1,000만 원을 넘어섰고, 더 이상 부정할 수 없는 심각한 현실에 직면했다.

생존을 위한 결단, 그리고 배움

1,000만 원을 넘어 2,000만 원의 마이너스를 기록했을 때, 나는 더 이상 내 방식을 고집할 수 없다는 것을 깨달았다. 내 아이디어는 실패했다는 것을 인정해야 했다. 내 방식대로 하면 안 된다는 것을 받아들이는 순간, 나는 내 생각을 부정하고 새로운 방식으로 접근해야 한다는 결단을 내렸다. 나처럼 생각하지 말자는 마음으로 내 생각을 차단하고, 이 업계에서 성공한 사람들을 찾아 나섰다. 내가 아닌 그들의 방식을 배우기로 했다. 초기에 힘들었던 점은 이 방법이 맞나 아닌가 시간, 에너지, 비용을 다 버리면서 시행착오를 겪어야 했다. 어차피 버릴 돈 노하우를 배우는 곳에 쓰기로 결심했다. 이 당시 나의 뇌는 정상이 아니었다. 300만 원을 잃으면 큰돈이지만 1000만 원 손해나 1300 만원 손해나 타격감이 똑같을 지경까지 갔었다. 사업을 해 본적도 없었는데 사업을 내 방식으로 하고 있었던 것이 문제였다.

이 과정에서 대출을 받아 중개업 강의를 들었고, 나의 기존 생각과 달랐던 상가 중개도 배우기로 했다. 사실 처음에는 상가는 하고 싶지 않았지만, 내 생각이 잘못되었나는 것을 인정한 후, 돈이 되는 분야라면 무엇이든 배우겠다는 결단을 내렸다. 퇴근 후 왕복 4시간을 오가며 두 달간 교육을 받았고, 그때는 가정에서도, 사업에서도 최악의 상황을 견디고 있었다. 가장인데도 불구하고 자격증 공부하고 개업하는 동안 주 수입원 없이 2년간 지출만 있는 상황이었다. 하지만 그렇게 배운 지식과 경험들이 나를 다시 일으키는 출발점이 되었다. 될 것 같은 느낌 이 느낌 하나로 버텨온 것 같다.

개업 후 지옥은 또 찾아왔다. 그러나 변화의 씨앗

1년 동안 나는 지옥 같은 시간을 견뎠다. 가정에서도 스트레스가 극에 달했고, 사업에서도 매일같이 생존의 전쟁을 치러야 했다. 머릿속은 온통 돈 생각뿐이었고, 여행을 가서도, 휴식을 취해도 온전히 쉬지 못했다. 하지만 그 와중에도 나는 책을 읽고, 사업에 대한 고가의 교육을 받으며 새로운 길을 모색했다. 그 순간만큼은 내게 희망이 있었다. 그 시간을 통해 나의 사고방식이 조금씩 변화하기 시작했다. 돈이 빠지는 속도보다 성장의 속도가 빨라야 했다.

이제는 더 이상 혼자서 모든 일을 해결하려 하지 않기로 했다. 손님을 만나면 사무실이 비어있고 실무를 하면 마케팅이 안되는 상황이었다. 마케팅에 집중하면 고객 관리가 안 되었다.

마케팅, 경영, 내부 시스템, 세일즈, 고객 관리 종합적으로 시스템을 만들어야 하는데 혼자서는 오래 걸린다는 판단을 했다. 시스템 구축을 최우선으로 두고 직원을 채용했다. 내가 가장 잘할 수 있는 일에 집중하기로 결심했다.

내가 가진 최고의 장점은 사람들을 끌어들이는 능력이었다. 나는 그것에 집중하기 시작했고, 고객이 조금씩 늘어났다. 그때부터 변화의 시작이었다. 고통 속에서도 손님이 많았고, 마케팅을 통해 점점 더 많은 사람들을 끌어들이기 시작했다.

돌이켜보면, 나는 첫해에 많은 실수를 저질렀다. 무작정 쉽게 생각하고 시작한 게 실수였다. 놓치는 것도 많고 엉망이지만 나의 부족한 점을 빠르게 알 수 있다는 장점이라고 하면 장점이 있지만 경험 없이 오픈하면 시행착오를 정통으로 맞게 된다. 후회는 늦었고 긍정적으로 생각해야 된다. 어차피 겪을 거 먼저 겪는다. 경험을 쌓고 개업하는 것과 바로 개업하는 것 정답은 없다. 나의 기질과 성향에 맞게 행동하면 된다.

내가 가장 잘하는 것은 유입이었다. 하지만 전환에서 실패했다. 부동산업은 기복이 심한 산업이다. 불황일 때는 유입이 부족하고, 호황일 때는 유입이 있어도 전환이 문제였다. 나는 전문성과 실무 능력이 부족해서 전환이 되지 않았다. 그 사실을 깨닫고 나서 중개실무와 고객 관리에 더 많은 노력을 기울였다.

나는 이 경험을 통해 유입과 전환 두 가지의 균형이 중요하다는 것을 배웠다. 유입은 마케팅, 전환은 실무능력, 세일즈, 고객 관리가 뒷받침되어야 한다. 그 균형을 맞추지 못하면, 결국 사업은 성과를 내지 못한다는 사실을 뼈저리게 느꼈다. 그 첫해의 경험은 나에게 큰 교훈을 남겼다.

2장

마이너스에서 억대매출의 전환점

1인 중개사에서 조직으로

혼자 운영하면서 손이 부족하면 직원 채용 공고를 올리고 채용하는 게 일반적이다. 이런 식으로 하게 되면 나 혼자도 버거운 시기에 교육을 해야 된다. 너무 바쁘면 직원의 자체 성장을 원하게 된다. 관계 형성이 안 되면 열악한 환경에서 함께 하기 어렵다. 시작할 때 기획을 해야 된다. 1인으로 갈지 조직으로 갈지는 먼저 정하고 사업을 시작해라.

면접 볼 때도 마찬가지이다. 나의 핵심가치 우려사항과 나의 상대방의 핵심가치 우려사항이 파악된다면 좋은 파트너를 만날 확률이 높아진다. 비즈니스에서도 상대방의 핵심가치와 우려사항이 파악된다면 그들의 핵심가치를 반영하고 그들의 우려사항을 반박하는 습관을 갖는다면 세일즈 성과가 지금보다 더욱 효율적일 것이다.

1인은 나에게 돈 주는 사람에게만 집중하면 되고 조직운영은 나에게 돈 주는 사람, 프리랜서(직원)의 핵심가치, 우려사항, 시스템을 모두 챙겨야 하기에 운영방식의 난이도가 훨씬 높다.

직원을 충원하려고 해도 이런 문제점이 있다. 첫 번째는 주변에 물어봐도 모른다. 직원을 고용해서 운영하는 부동산이 많지 않다. 기본급을 지급해야 되는지 비율 제로 가야 되는지 정해진 건 없다. 부동산에 물어보면 우리 부동산이 잘 돼서 사람까지 뽑네?라고 생각하는 사람도 있다. 소문은 금방이다. 시기와 질투를 하는 사람은 어디든 존재한다.

대부분 1인으로 운영을 하고 있고 내가 물어보러 갔는데 역으로 나한테 물어본다. 온라인 커뮤니티에서 검색해 보면 비율제 5:5 구조로 진행을 하고 주 5일, 식대를 지원해 주면 평균이다. 직원을 채용하기 위해 3군데를 활용했다.

< 한국공인중개사 협회 ,사람인 ,인크루트 >

고정급, 비율제는 사무실 내규에 따르면 된다. 내가 고정급을 줄 여유가 있으면 제공하고 그렇지 않으면 비율 제로 가면 된다. 어떤 게 이득일까가 아니라 평상시에 면접을 보면서 내가 결정한 직원의 성향을 보고 진행하면 된다. 정말 원하는데 그 직원이 한 달에 얼마 정도를 원한다. 내 여력이 안되면 금액을 조정하고 제시해서 맞춰가라. 협상이 되어야 능력이 나온다.

철저히 분리하면서 나는 나 너는 너의 구조인 사무실도 많다. 나는 나 가는 돈이 전혀 없고 새로운 분야에 직원을 투입하고 직원의 번 돈의 50%를 받는 구조이다. 모든 사무실은 대표의 성향대로 운영을 하면 된다. 하지만 사람을 고용하고 사업으로 접근을 하려면 기버 마인드를 장착해야 된다. 기버 마인드가 장착되면 조심해야 될 한 가지도 기버 마인드를 채용해야 된다. 그렇지 않으면 기버가 손해 보게 된다.

기버는 더 주는 사람 매처는 받은 만큼 주는 사람 테이커는 내가 더 받길 원하는 사람이다. 나는 기버 마인드로 일을 해왔다. 기버가 기버를 만났을 때는 든든한 아군을 만날 것이고 테이커를 구별할 줄 아는 눈을 키우는 게 사업의 주요점이 되었다. 테이커로 인해 모든 걸 잃을 수도 있다. 어떤 성향도 틀린 건 아니다. 하지만 기버는 기버를 만나야 한다.

업무 교육을 강화하기

오전에 광고 올리는 게 가장 중요하기에 광고 올리는 법을 우선적으로 교육하는 걸 추천한다. 광고 법이 강화되었기에 정보를 빼먹거나 오류를 기재하게 된다면 과태료 대상이 된다. 실제로 과태료 납부하는 중개사가 늘어나고 있다.

광고를 올리기 전 해당 매물이 거래가 되었을 수도 있으니 거래 여부를 반드시 확인하고 광고를 올려야 된다. 방향, 층수, 융자 여부는 정확히 작성해야 되고 거래가 완료된 건은 당일 광고를 종료해야 된다. 계약서를 작성하는 날이 아닌 계약금 일부를 받은 당일이 기준이다.

유튜브 블로그 등 온라인에 매물을 홍보를 하기 위해선 광고 법에 맞는지 필히 체크해야 된다. 소속 공인중개사가 매물을 올릴 때는 소속 공인중개사 정보 + 개업 공인중개사 정보가 같이 들어가야 된다.

양천구 [illegible]

소재지	[illegible]	입주 가능일	22년 9월 초순 협의
면적	전용면적 : 84.01㎡ (공급면적 : 107.31㎡)	방 수 / 욕실 수	3개 / 2개
금액	6억	행정기관 승인일자	2003년 12월 16일
중개대상물 종류	아파트(공동 주택)	주차 대수	0.97대
거래 형태	전세	관리비	15만원
총 층수 / 해당 층	[illegible]	방향	남서향(거실 기준)

부동산 정보

명칭	억수르 부동산 공인중개사 사무소
소재지	서울시 양천구 중앙로 43길 14 (래미안목동아델리체 상가 16호)
연락처	02-2699-2001
등록번호	11470-2022-00028
성명	김경호

매물 관리를 교육하라

기존 매물의 최신 화가 되어야 잘못된 브리핑이 나가지 않는다.
기존 매물의 소유자와 통화를 하면서 매물에 대한 이해도를 높여야 한다. 매물정보를 알아야 손님에게 브리핑을 할 수 있다.

매주 월요일은 매물 최신화 정보를 얻기에 적절한 타이밍이다. 주말 간 우리 부동산에서는 손님이 없었어도 타 부동산에서 매물을 봤을 가능성이 높다. 계약 의사가 있었다면 현재 금액에서 네고된 금액이 오고 갔을 수 있다. 전화를 해서 주말 간 보고 간 손님이 있는지 있었으면 혹시 금액 조정은 있었는지 물어봐라. 만약 1~2천 정도 조정된 금액이 오고 갔으면 해당 매물은 조정이 가능하다. 이러한 내용으로 손님에게 브리핑을 한다면 나의 브리핑에 더 힘을 실릴 것이다.

매물 관리의 요령은 누가 전화를 받아도 응대가 가능할 정도로 작성해두어야 한다. 고객과 통화를 했다면 통화 내용을 간략하게 메모하고 통화 날짜까지 작성해 두면 의사소통에 좋다.

2번 3번 통화를 하더라도 언제 무슨 이야기를 했는지 기록이 되어있기에 다른 직원이 전화를 받아도 응대가 가능하다. 몇 달이 지난 후 고객과의 통화에서 누군지 모르는 것과 지난 통화 내용을 이야기하면서 응대하는 건 신뢰도에서도 큰 차이가 난다.

실제 억수르 부동산에서 사용하는 탬플릿이다.

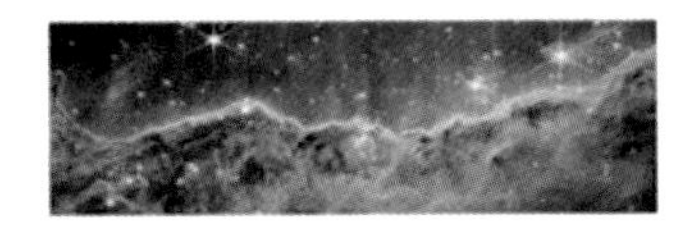

교육은 선택사항이 아니다. 경력이 없거나, 경력이 있어도 해당 지역에 대한 정보가 없다면 손님을 응대하는 게 힘들다. 전화받은 사람의 개인 능력으로 응대를 한다는 건 우리 사무소로 문의 온 고객을 놓치게 되는 경우가 많다.

초보 직원을 교육한다면 2주까지는 전화를 걸게 해야 된다. 매물에 대한 최신화도 가능하고 고객 응대에 대한 연습이 가능하다. 3~4주 차는 전화를 받도록 한다. 전화를 받게 되면 어떤 질문을 할지 모르기에 전화를 걸 때보다 난이도가 높다.

전화를 받으면서 내가 부족한 걸 바로 깨닫게 된다. 한 달간 트레이닝이 끝나면 이제는 손님을 대면에서 응대하게 해야 된다. 사무소에 손님이 왔을 경우 브리핑 내용을 귀담아듣고 피드백을 해주는 게 좋다. 손님 응대하는 모습을 참고 지켜보는 게 힘들지만 이 시간이 필요하다. 직원이 잘못된 브리핑을 하고 있다면 대표가 나서서 브리핑을 이어서 해야 된다. 지켜만 보는 게 정답은 아니다. 하나하나 관여가 아닌 잘못된 브리핑을 이야기하는 것이다.

내가 부족할 때 대표의 브리핑 멘트를 보고 일 할 마인드가 있는 직원은 메모를 할 것이다. 이러한 과정이 있어야 외부에 나갔을 때 손님과 브리핑하는 것을 믿고 맡길 수 있다.
외부에서 미팅을 하게 되면 브리핑하는 것을 볼 수가 없다. 이후로는 전화나 손님 응대에 대한 멘트를 지속적으로 체크해 주는 것이 좋다. 나의 경우 탬플릿으로 직원과 소통하고 있다. 손님이 왔을 경우 내가 하는 멘트를 그대로 다 적어두었다.

직원은 나의 멘트를 공부하게 된다. 최종적으로는 각자의 언어가 아닌 회사의 언어로 고객을 응대해야 된다. 내가 없을 때 고객에게 나가는 멘트가 초보자의 언어로 나간다면 이것 또한 리스크다. 회사의 언어로 응대를 하기 위해선 대표의 멘트가 직원들과 공유되어야 한다.

어깨너머로 배우는 건 한계가 있다. 교육자료를 만들고 교육을 해야 된다. 직원의 성장이 두려울 것이다. 하지만 프리랜서 구조에서 직원이 돈을 벌어야 대표가 돈을 번다. 내가 버는 돈을 나눈다고 생각하면 안 된다. 다 알려주면 퇴사하는 경우가 많고 심한 경우 매물을 다 들고 인근에 개업하는 일도 있기에 우려하는 건 당연하다.

하지만 직원을 통해 회사 시스템을 빠르게 구축하고 교육자료를 만드는 것에 더 신경 써야 한다. 새로운 직원이 오더라도 우리 사무소의 교육 시스템으로 성장을 시켜야 된다. 대표만 많이 알면 혼자 앞서가게 된다. 시스템은 결국 대표에게 남는다. 손해 보는 구조를 집중적으로 볼 것인지 이득 되는 구조를 집중적으로 볼 것인지 관점에 따라 차이가 날 것이다.

손님 응대를 교육하라

< 매물 확보-광고-문의-미팅-클로징-계약 >

각 6단계의 특징에 대해 간략히 설명해 보겠다.

- 1단계 매물확보

매물 확보를 위해서 명단 확보 현수막 TM DM 직접 방문 광고 온라인 마케팅 등 여러 가지 방법이 있다. 한 가지 방법이 있는 게 아닌 매물 확보를 위해서 모든 방법을 동원해야 된다. 매물이 있어야 광고를 하고 양타를 해야 매출이 늘어난다. 초반에 매물이 없을 때 아군을 잘 만들어두었다면 매물을 받을 수도 있다.

네이버 부동산에 들어가면 다른 부동산의 매물 숫자를 볼 수 있다. 나만 매물이 적으면 다른 부동산은 어떻게 매물이 저렇게 많지라는 생각을 하게 된다. 나의 주 타깃의 매물이 있으면 좋지만 당장 매물이 없던 초반에는 직거래 사이트와 지역 부동산 카페 대형 부동산 카페를 서칭했다.

나의 주 타깃 매물을 검색하다 보면 매 물주들이 직접 올린 글이 있다. 해당 게시글을 올린 당사자에게 쪽지 작업을 통해 손님을 붙이겠다는 멘트와 함께 당장의 매물 수를 올릴 수 있었다. 매물 수를 쌓아가면서 또 다른 매물을 접수받았다.

초반에는 온라인에서 사람을 찾기가 쉽지 않다고 생각할 것이다. 주거용 상업용에 따라 매물 확보 방식의 차이는 있다. 주거용은 직접 방문이 어렵지만 상업용은 직접 방문이 가능하다. 회원제는 명단 작업(TM, DM) 불가한 곳도 있지만 비회원제는 가능하다.

나의 종목 지역에 따라 어떤 생태계로 돌아가고 있는지를 먼저 파악해야 된다. 다른 사람이 하는 방식은 기본적으로 하고 추가적으로 온라인 활동을 해야 된다. 퍼포먼스 마케팅을 배우게 된다면 어떤 형태에서도 규제가 없다. 대부분의 사람이 모르기 때문이다. 경험 없이 신축 아파트 공실 1년 차에 들어와 현재까지 명단 없이 가능했던 이유는 마케팅 기술이었다.

- 2단계 광고하기

내가 올리는 광고를 보고 선택을 받는다. 전속계약이 아니라면 결국 경쟁이다. 업로드하는 사진, 매물 설명을 기획하라. 타 지역, 타 매물의 시장조사를 하고 내가 끌렸던 문구, 매물 설명을 벤치마킹하라.

매물 설명에 추천대상을 넣어주면 해당 타깃은 더욱 신뢰를 갖게 된다. 같은 전세 매물을 올려도 이 매물은 신혼부부에게 추천드리는 best 물건입니다. 와 같이 어떻게 설명하는지에 따라 매물의 가치는 달라진다. 매물 설명 기획이 끝났다면 마지막으로 사진을 보정하면 된다.

광고에서 가장 중요한 요소 중 하나가 사진이다. 첫인상을 결정하는 매물 사진이 중요하지 않다고 생각한다면 큰 오산이다. 네이버 부동산에 동일 매물들이 많게는 20군데도 등록이 되어있다. 손님 입장으로 봐야 된다. 동일 매물인데 어떻게 사진을 찍고 보정을 하느냐에 따라 다른 매물처럼 보인다. 아래 사진은 동일한 매물이다.

사진 촬영 시 기본 4가지를 유의해야 된다.

기본이지만 기본을 안 지키는 경우가 많다.

1) 촬영전에 핸드폰 카메라 렌즈를 닦고 촬영한다.
2) 광각 모드로 촬영한다. 1배가 아닌 0.6배를 추천한다.
3) 수직 수평을 맞춰서 사진을 찍는다.
(카메라에 수직 수평 안내선을 활성화시켜주면 된다.)
4) 공간의 불을 전부 키고 최대한 밝은 상태에서 촬영한다.

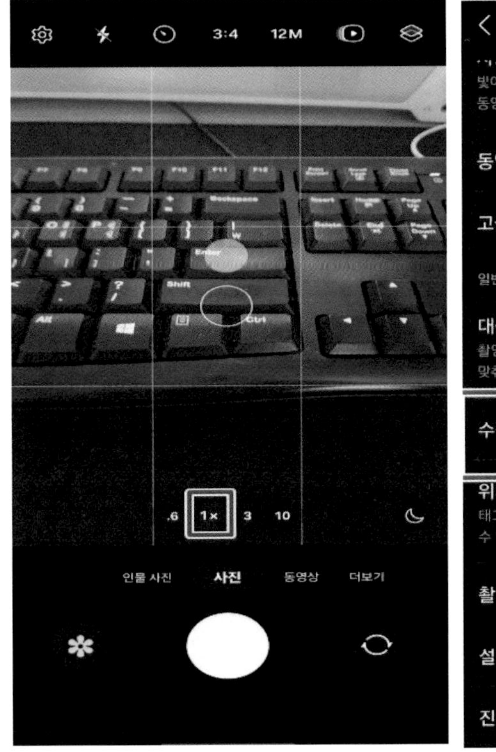

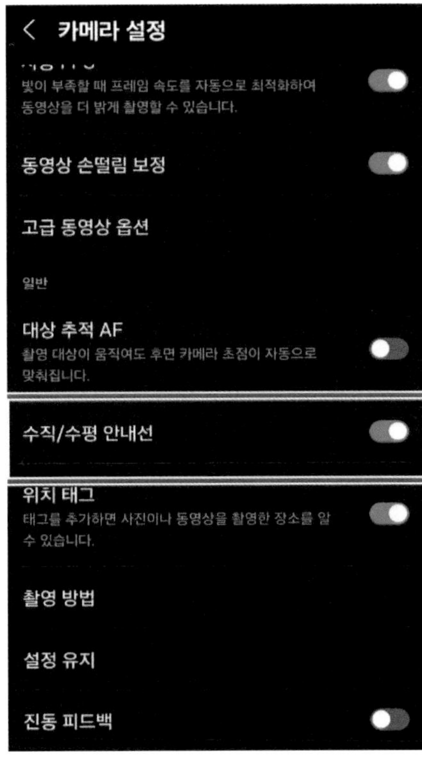

사진 촬영 후 보정하는 간단한 방법은 포토스케이프를 이용하면 된다. 보정해 주면 전혀 다른 매물로 완성된다.

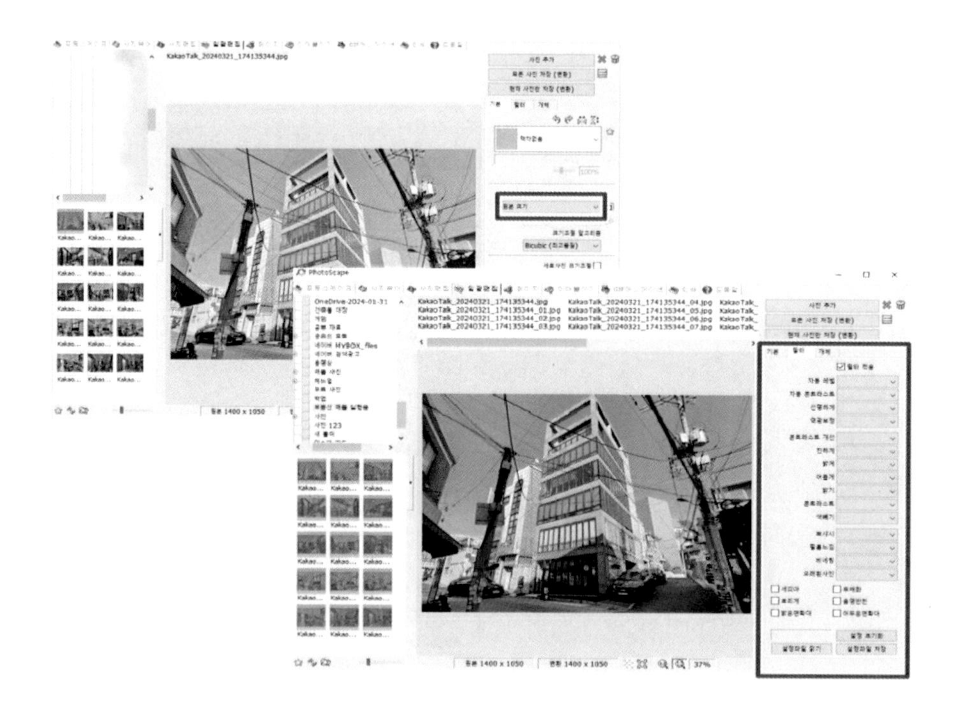

- 3단계 문의

고객 응대의 첫 관문이다. 3단계로 넘어가고 싶은가? 2단계에 올인하라. 어설픈 밀당을 하지 말고 기버의 자세가 필요하다. 무미건조한 여보세요를 조심하라. 첫 통화에서 부동산 이미지가 시작된다.

통화가 연결되면 고객이 왜 전화했는지 이야기를 할 것이다. 매도, 매수, 임대, 임차 포지션별로 묻는 게 다르다. 포지션별로 그들이 추구하는 핵심가치, 우려사항이 있을 것이다. 사전에 포지션별로 응대 멘트를 정리해 놔야 된다. 매물을 받을 때는 양식을 미리 작성해두고 양식대로 받아야 누락을 방지할 수 있다.

특히 광고 법에 맞는 질문을 하지 않으면 다시 전화해야 되는 일이 발생된다. 매수자와 임차인은 매물을 보고 전화 한 경우와 일단 전화 한 경우 다르다. 매물을 보고 왔다면 해당 매물을 빠르게 서칭해서 브리핑을 하는 게 중요하다.

내가 보유하고 있지 않아도 네이버에 나와있는 매물은 같이 브리핑을 해야 된다. 매물을 봤다는 건 다른 매물도 봤을 확률이 높다. 네이버 부동산에 내 매물보다 저렴한 매물이 있는데 내 매물만 어필하면 고객은 저렴한 매물은 다른 부동산과 약속을 잡을 것이다. 매물은 보고 전화한 경우가 아니라면 리드를 해야 된다. 전화상으로 말하는 모든 말을 믿지 말아야 된다.

오픈된 정보는 함께 브리핑을 해주고 고객과의 만남을 약속해야 된다. 고객과 만나기 전 준비한 매물을 보고 마음에 안들 경우를 대비해서 추가적으로 제안할 매물도 서칭해 두면 좋다.

매도자 매수자의 핵심가치와 우려사항을 간략하게 생각해 봐야 한다

: 매도자의 핵심가치

제값을 받고 싶다.
빠른 거래를 하고 싶다.
집 한두 번만 보여주고 거래하고 싶다.

: 매도자의 우려사항

중개사가 금액 후려치는 거 아니겠지?
내 집을 이곳저곳 다 보여주진 않겠지?
집 보고 연락조차 안 하는 중개사는 아니겠지?

: 매수자의 핵심가치

급매를 받고 싶다.
하자가 없는 집이었으면 좋겠다.
날 위해 일하는 중개사를 만나고 싶다.
내 집 마련에 있어서 대출이나 세무 등 케어해줬으면 좋겠다.

: 매수자의 우려사항

집 매수하고 하자로 골치 아픈 상황이 발생되진 않겠지?
집 매수하려면 한 달 내내 집 알아보러 가야 되는 건가?
남들은 급매 정보 잘 받던데 나는 그런 정보 못 받으려나?

우리는 일상에서 무엇인가 결정을 할 때 나의 핵심가치와 우려사항이 항상 존재한다. 상대의 핵심가치를 파악하고 존중해 주고 상대의 우려사항은 내가 반박을 해줘야 대화가 통한다. 일명 티키타카가 되어야 한다. 내 말만 하면 상대의 핵심가치와 우려사항을 파악하기 힘들 것이다

- 4단계 미팅

고객의 핵심가치와 우려사항이 해소된다면 3단계부터는 제안이라는 무기를 사용해야 된다. 3단계까지는 솔직하고 더 많은 정보를 주는 것만 잘해도 된다. 3단계부터는 다르다. 지금부터는 밀당도 필요하고 심리적인 부분도 필요하다.

고객과 미팅을 잡게 된다면 동선을 고려한 적절한 시간 배치를 해야 된다. 차를 가져온다면 주차에 대한 부분도 준비하면 좋다. 가능하면 한 차로 이동해라. 내가 손님 차에 타는 것도 괜찮다. 난 실제로 손님 차를 타면서 중개를 했다.

미팅 시 브리핑 자료를 준비하면 좋다. 누구는 안 해도 된다고 하는데 초보일수록 고객 응대가 부자연스러우니 텍스트와 자료의 힘을 빌리는 게 좋다. 고객 응대가 자신 있으면 브리핑 자료는 없어도 된다.

미팅을 할 때는 사람에게 집중해야 된다. 예를 들어 아파트를 볼 때 거실, 방, 화장실 어디가 될지 모르지만 사람에 집중하게 되면 어디서 발이 오래 머무는지 어디서 멈칫하는지 이러한 부분이 체크가 돼야 된다.

미팅 후 어떠셨어요? 이런 질문보단 집 보실 때 거실에서 오래 계셨는데 거실 쪽에 우려되는 상황이 있으셨나요? 이런 식으로 구체적인 질문을 해야 된다. 내가 포괄적으로 물으면 포괄적인 대답이 돌아온다.

어디가 마음에 드세요?라고 묻는다면 전체적으로 다 괜찮다거나 좀 더 고민해 봐야 될 것 같아요라는 답변을 자주 듣게 된다.

나는 반대로 물어봤다. 어디가 제일 별로였어요?라고 물으면 두 번째가 별로였다. 네 번째가 별로였다 이런 식으로 이야기를 해줬다. 그리고 이유를 묻는다. 교통, 주차, 평수, 층수 등 싫어하는 걸 확실히 파악했다. 그와 비슷한 조건은 삭제하고 다른 물건들을 제안하기 위해 타이밍을 지켜보았다. 내가 보여준 게 다 마음에 안 들 경우 자주 사용하는 멘트가 있다.

고객님 역시 이렇게 만나야 되나 봐요. 유선상으로 얘기 주신 기준으로 물건을 준비했는데, 오늘 이렇게 미팅을 하고 나니 고객님이 어떤 물건을 원하는지 확실히 알겠습니다.

고객님이 원하는 조건들의 매물들 언제 볼 수 있는지 오늘 바로 체크해 보고 연락드리겠습니다. 혹시 목요일 이 시간 괜찮으세요?라는 멘트로 다음 약속도 같이 잡았다. 평상시 매물 확보가 중요한 이유이다. 매물이 없다면 제안이 안된다.

- 5단계 클로징

가장 힘들어하고 난이도 높은 구간이다.
나도 마찬가지다.

이 단계를 통과하면 계약서를 작성하게 된다. 클로징의 핵심은 제안이다. 금액대가 낮은 구간일수록 매물로 클로징이 유리하다. 금액대가 높을수록 매물만으론 클로징이 어렵다. 이때는 지식의 양보다 확신의 깊이를 전달해 줘야 된다. 중개사도 별로라고 생각하는 매물을 고객이 신뢰할 수 있을까? 나의 경우 이 금액에 계약하시죠라는 멘트를 손님별로 딱 한 번 사용한다는 마인드로 일을 했다. 4단계에서 확신을 주는 멘트를 사용하고 싶지만 4단계까지는 지식을 전달해 주고 소통하는 데 중점을 두었다. 고객의 우려사항을 공감해 주고 결정에 관여를 최대한 미루었다. 나보다 더 고민이 많을 것이다. 고객이 생각하는 합당선 인근으로 금액이 만들어지고 이야기했다. 제가 지금까지 하는 게 맞는다고 한 적이 없었던 거 아시죠? 지금은 하셔야 됩니다.

결정적일 때까지 기다리는 게 어렵지만 참아내야 한다. 5단계 전부터 지금 하셔라 백번 이야기해도 안 할 것이고 오히려 다른 중개사를 찾아갈 수 있다. 위에 이야기 한 것처럼 금액을 만들어야 클로징에서 효과를 볼 수 있다.
가령 매도자는 13억 매수자는 12억 5천으로 팽팽한 상황이 되었을 때 관전 모드로 가면 안 되고 클로징의 핵심인 리드를 해야 된다. 매도자에게는 금액을 낮추는 제시를 내 기준으로 하면 안 된다. 역풍 맞을 수 있다. 손님이 12억 5천이면 하신다고 하는데 이 말을 전달드릴까 하다가 제선에서 잘랐습니다.라고 이야기하면 반응을 볼 수 있다. 잘하셨다 그 금액에 할 생각은 전혀 없다.

1~2천도 아니고 누가 5천을 깎아서 하냐 네 그래서 저도 단칼에 잘랐습니다. 자 그럼 1~2천이 고객이 생각하는 합당선이기에 이제 매수자와 대화를 한다.
고객님 지금 고민하고 계시는 매물 12억 8천이면 계약하실 건가요? 확실하진 않지만 매도자 분과 통화해 보니 1~2천 정도는 제가 금액을 받아볼 수 있을 듯합니다. 그 밑으로 생각하시면 기다리시던지 다른 매물 보셔야 될 것 같습니다. 신중히 고민하고 이야기해주세요. 고객님이 정확한 의사를 얘기 주시지 않으면 얘기도 못 꺼냅니다.
괜히 금액만 깎고 성사 안 되면 저만 손해 봅니다. 의사가 확실하시면 얘기 주세요. 1~2천 조절되면 하신다는 분도 있긴 한데 우선 고객님한테 먼저 이야기드리는 겁니다. 이제 매수자의 반응을 본다.

지금부터 중개사는 운전을 잘 해야 된다. 먼저 한쪽의 의사를 확실히 받아야 클로징이 가능하다. 만약 매수자가 의사가 없으면 다른 고객에게 브리핑이 가능하다. 금액을 만든다는 게 위 사례를 이야기하는 것이다. 손님을 붙여야 급매도 만들 수 있고 급매가 있으면 클로징이 쉬워진다.

- 6단계 계약서 작성

계약금 일부를 받는 순간부터 계약은 성립한다. 계약금 일부를 건네기 전에 큰 틀의 협의를 끝내고 돈을 주고받아야 된다. 얼굴 보고 해결할 사항은 특약 중 1~2가지이지 만나서 다 해결하면 안 된다.
돈 받고 나면 협의가 더 어려워진다. 계약금 중도금 잔금 옵션 사항을 무심코 넘겼다가는 큰 고비를 맞이하게 될 것이다. 특약까지 모두 협의가 되면 좋겠지만 이렇게 진행하면 돈을 주고받는 과정에서 딜레이가 될 것이다.

특약은 계약서 작성일 전 날 협의를 보는 것이 좋다. 초안을 작성하고 매도(임대) 측에 먼저 보낸다.
우선 기본적인 초안을 작성해 봤습니다. 추가하실 특약이나 변경을 원하시는 특약 있으시면 얘기 주세요. 최종 특약은 양 당사자 만나고 진행하겠습니다. 클로징과 동일하게 한쪽에 먼저 동의를 받고 변경된 내용을 매수(임차) 측에 전달한다.

별도의 요구사항이 없으면 해당 계약 내용으로 계약을 준비하는 것이 좋다. 여기서 협의점이 맞지 않는 1~2가지는 기본 초안이라는 멘트와 함께 계약서 작성 당일 협의를 보겠다고 전달한다.

계약서 작성일은 매도자 매수자 중개사 모두 정신이 없기에 당일에 모든 협의를 보는 건 피해야 된다. 예상하지 못했던 상황이 발생할 수도 있는데 중개사도 같이 휘둘리게 되면 빼먹거나 내 스타일대로 리드가 어려워진다. 계약서는 법과 연결되기에 중개사의 리드가 중요하다. 손님의 변수를 최대한 줄여놓고 서류 준비와 계약서 진행에 집중해야 된다.

처음 계약서 작성하는 전날 실제 상황으로 세팅하고 멘트와 순서를 연습했다. 순서는 정해진 것이 없다. 아무도 없는 사무실에서 매수자 매도자 다 있다는 가정하에 멘트도 똑같이 연습했다. 순서를 잊게 되면 계약서 확인설명서를 새롭게 뽑고 반복작업을 했다.

4시간 정도 하니 순서는 확실히 기억을 하게 되었다. 계약서 작성 당일은 어제의 연습을 상상으로 시뮬레이션을 돌렸다. 멋있게 보이기 위해 도장 찍는 연습도 실제처럼 진행했다. 계약서는 도장의 맛이 있다.

중개 마케팅 시작, 터닝 포인트

위기의 순간, 마케팅의 필요성을 절감했다.

첫 계약의 기쁨이 지나고 다시 찾아온 좌절감과 실망스러운 상황 속에서 나는 더 이상 기존 방식으로는 성공할 수 없다는 것을 깨달았다. 이제는 손님이 자연스럽게 찾아오지 않는다는 사실이 분명해졌다. 나는 더 이상 기다릴 수 없었다. 적극적으로 내 사업을 알리고 손님을 끌어들이는 전략이 필요했다. 그때부터 나는 본격적으로 마케팅에 대해 고민하기 시작했다.

내가 처한 상황은 결코 쉽지 않았다. 마이너스는 계속 누적되고 있었고, 고객의 발걸음은 기복이 심했다. 어떻게든 돌파구를 찾아야 한다는 절박함에 마케팅을 공부하기 시작했다. 기존에 알고 있던 지식과 중개업에 적용하는 마케팅은 전혀 다른 방식이었다. 마케팅이 단순한 홍보가 아니라 전략적 접근이 필요하다는 것을 몰랐다. 처음에는 손님만 많으면 될 것이라는 생각으로 기존 방식의 틀에 박힌 광고를 내는 방식에 의존했다.

그러나 그런 방식으로는 기대했던 효과가 나오지 않았다. 돈은 들었지만 성과는 미미했다. 손님이 왔다 하더라도 계약으로 이어지지 않는 경우가 대부분이었다. 그때부터 나는 단순한 광고나 홍보를 넘어서 마케팅 전략을 고민하게 되었다. 그리고 온라인에서 시작된 나의 마케팅은 내 사업을 전환하는 핵심 요소로 자리 잡았다.

네이버 블로그 : 고객을 유입하는 창구

내가 가장 먼저 선택한 마케팅 채널은 네이버 블로그였다. 당시에는 블로그 마케팅이 크게 주목받고 있지는 않았지만, 나는 이 방법을 선택했다. 이유는 간단했다. 나는 블로그 인플루언서로 블로그에 대한 노출에 자신이 있었다. 내 고객층은 학군지에 있는 사람들로, 온라인에서 정보를 적극적으로 찾는 경향이 강했다.

그들은 공인중개사를 직접 방문하기보다는 먼저 인터넷에서 정보를 검색하고, 그 정보를 바탕으로 움직였다. 그래서 나는 이 정보의 장에서 나의 존재를 알릴 필요가 있다고 판단했다.

블로그는 초기에는 큰 비용이 들지 않는 마케팅 도구라고 생각했다. 생각해 보면 시급이 들어가기에 유료 마케팅이다. 그래도 부담 없이 시작할 수 있었다. 나는 내 지역에 있는 모든 아파트 정보를 수집하고, 그 정보를 기반으로 블로그에 포스팅을 올리기 시작했다.

단순한 아파트 정보뿐만 아니라 학군, 생활 인프라, 교통편 등 고객들이 궁금해할 만한 세세한 내용을 담았다. 단순히 매물을 소개하는 것이 아니라, 고객들이 실제로 필요로 하는 정보를 제공하는 것이 핵심이었다.

블로그는 내가 고객과의 첫 만남을 준비하는 장이었다. 나의 목표는 고객들이 블로그를 보면서 나를 신뢰할 수 있도록 만드는 것이었다. 고객들이 아파트 정보를 찾다가 내 블로그를 보고 "이 사람이 이 지역의 전문가구나"라는 확신을 가질 수 있도록 하는 것이 내 전략의 핵심이었다. 문의가 조금씩 늘어나면서, 나는 블로그를 통해 잠재 고객을 꾸준히 유입할 수 있었다.

마케팅 전략의 전환점: 유입에서 전환으로

다양한 네이버 마케팅 채널 활용

블로그와 더불어, 나는 네이버 카페도 적극 활용했다. 부동산 카페들이 활발하게 운영되고 있었고, 고객들은 그곳에서 부동산 정보나 거래에 대한 고민을 나누고 있었다. 나는 그들이 올리는 글을 주의 깊게 읽고, 개별적으로 쪽지를 보내는 방식으로 접근했다. 이렇게 고객과의 1:1 소통을 통해 신뢰를 쌓아가면서, 내 사무실로 발길을 옮기는 고객들이 점차 늘어났다.

또한, 네이버 파워링크도 중요한 마케팅 도구였다. 파워링크는 고객이 특정 아파트나 지역을 검색했을 때 내 사무실이 상단에 지속적으로 노출되도록 하는 방식이었다. 이로 인해 내 사무실은 자연스럽게 지역 내에서 인지도를 높일 수 있었고, 검색을 통해 유입된 고객들이 점점 늘어났다. 파워링크는 다소 비용이 들긴 했지만, 그만큼의 투자 가치를 충분히 발휘했다.

마케팅을 통해 고객 유입이 늘어나는 것을 경험하면서, 나는 마케팅이 단순히 손님을 끌어들이는 것만이 아니라 전환율을 높이는 데도 중요한 역할을 한다는 사실을 깨달았다. 나를 만나기 전에 이미 신뢰를 갖고 오는 경우이다. 손님이 많아도 계약이 성사되지 않으면 아무 의미가 없었다. 나는 전환에 더욱 초점을 맞추기 시작했다.

이제는 고객을 단순히 끌어들이는 것이 아니라, 그들이 내게 와서 실제로 계약을 체결하도록 만드는 것이 내 마케팅의 목표였다. 나는 마케팅과 더불어 중개 과정도 세심하게 관리하기 시작했다. 고객들과의 통화 내용을 녹음하고, 그 과정을 스스로 돌아보며 실수를 분석했다.

출퇴근 시 노래 대신에 고객과의 통화 녹음을 들어보면 나의 문제점을 빠르게 파악할 수 있다. 어떤 부분에서 고객이 불안해하는지, 어떤 지점에서 계약이 중단되는지를 면밀히 검토하면서 나의 설득 방식과 상담 기술을 개선해 나갔다.

특히 중요한 고객들과의 통화는 출근 전에 미리 처리하는 등, 내가 고객을 더 효율적으로 관리할 수 있는 방법을 찾아 나섰다. 중요한 일들은 미루지 않고 바로 처리하며, 시간을 효율적으로 활용하기 시작했다. 빨리 처리해야 될 통화를 출근 전 차에서 해결하지 않고 사무실로 들고 들어오면 반나절의 시간을 버리고 하루를 시작하는 것과 같았다. 가장 중요하고 긴급할수록 가장 먼저 해결하고 하루를 시작하면서 시간 확보가 되었다.

마케팅이 가져온 긍정적인 변화

꾸준한 마케팅의 결과, 내 사무실에는 점점 더 많은 고객이 찾아왔다. 손님이 늘어날수록, 나는 고객과의 상담에서 자신감을 얻게 되었고, 그로 인해 계약 성사율도 점차 높아졌다. 마케팅이 단순히 손님을 유입시키는 것에 그치지 않고, 나의 사업 전체에 긍정적인 변화를 가져왔다. 고객들과의 신뢰 관계가 형성되면서 계약이 성사되는 비율도 늘어났고, 고객들은 나를 지역의 전문가로 인식하기 시작했다.

마케팅은 하루아침에 성과를 내는 것이 아니라, 꾸준한 노력을 통해 조금씩 변화가 일어나는 과정임을 배웠다. 내게는 끊임없이 분석하고 보완하는 과정이 필요했다. 그 과정에서 나는 나만의 마케팅 스타일을 구축해 나갔고, 이를 통해 내 사업을 더욱 확장할 수 있었다.

기본 마케팅에서 확장으로의 전환

내가 처음 시작한 네이버 블로그와 파워링크 마케팅은 효과적이었다. 하지만 이내 한계가 찾아왔다. 더 많은 고객을 유입할 수는 있었지만, 경쟁이 심화되면서 나만의 차별화된 브랜드 전략이 필요했다. 그때 나는 고객들이 단순히 아파트 정보나 매물을 보고 나를 선택하는 것이 아니라, 내가 제공하는 브랜드 가치에 더 중점을 둬야 한다는 점을 깨달았다.

블로그를 통해 내 사무실을 알리고 고객을 유입하는 것이 초반의 전략이었다면, 이제는 그 고객들이 나를 믿고 따르는 팬이 되도록 만들어야 했다. 그들에게 단순한 정보를 제공하는 것이 아니라, 그들이 나의 서비스를 통해 해결하고자 하는 문제를 미리 파악하고, 맞춤형 해결책을 제시하는 방향으로 전략을 전환했다.
이러한 방식은 내가 경쟁 중개사들과 차별화될 수 있는 핵심 포인트가 되었다.

이제는 네이버 블로그 외에도 다양한 마케팅 도구를 활용해야 했다. 나는 오픈 채팅방을 개설하고 사람을 모으기 시작했다. 초기에는 시간과 자원이 부족해 텍스트 기반의 마케팅에 집중했지만, 이후에는 고객의 관심을 끌 수 있는 다양한 방식으로 콘텐츠를 만들어갔다.
특히 온라인 광고와 SNS를 더욱 적극적으로 활용하기 시작했다. 그 결과, 나의 고객층은 점점 넓어졌고, 그동안 블로그나 네이버 카페를 통해 유입된 고객뿐만 아니라, 새로운 방식으로 내 사무실을 찾는 사람들이 많아졌다. 이러한 다각적인 접근이 나의 마케팅을 더욱 강화시켰고, 이는 매출 상승으로 자연스럽게 연결되었다.

브랜드 구축과 차별화 전략

마케팅이 성공적으로 자리 잡기 위해서는 내가 운영하는 사무실이 단순한 부동산 중개사무소가 아닌, 하나의 브랜드로서 고객에게 인식되어야 했다. 나는 지역 내에서 신뢰를 쌓고, 고객들이 나를 전문가로 여기게 하기 위한 다양한 노력을 기울였다. 특히, 특정 고객층을 겨냥한 맞춤형 전략을 통해 내가 단순한 공인중개사가 아니라, 그들의 삶에 긍정적인 영향을 미치는 파트너라는 이미지를 구축하고자 했다.

나의 전략은 고객과의 신뢰를 기반으로 한 마케팅이었다. 고객들이 나를 통해 거래를 할 때, 그들이 경험하는 모든 것이 브랜드 경험으로 이어져야 한다는 점을 강조했다. 작은 부분에서부터 고객이 나를 기억하고 다시 찾을 수 있는 경험을 제공하는 것이 내 마케팅의 중요한 축이었다.

마이너스에서 억대 매출로의 전환점

처음 중개업을 시작할 때만 해도, 나는 마이너스에서 벗어나는 것만이 목표였다. 어떻게든 월세와 비용을 충당하면서 생존하는 것이 우선이었고, 큰 성공을 상상하기에는 현실이 너무 힘들었다. 하지만 직원들이 들어오고, 마케팅이 성공적으로 자리 잡으면서 나는 더 큰 목표를 세우기 시작했다. 그것은 바로 억대 매출을 달성하는 것이었다.

억대 매출은 결코 우연히 이루어진 것이 아니었다. 그것은 오랜 시간 동안 철저한 계획과 실행의 결과였다. 나는 이제 더 이상 단순히 한 번의 계약을 위해 뛰는 것이 아니라, 지속 가능한 성장을 위한 전략을 세우고 있었다. 마케팅과 직원 관리, 그리고 고객과의 신뢰 관계가 하나의 시스템으로 돌아가면서, 그 시스템이 나에게 꾸준한 매출을 가져다주기 시작했다.

억대 매출을 달성하기 위해 가장 중요한 것은 고객과의 장기적 관계를 구축하는 것이었다.

공인중개사로서 한 번의 거래로 끝나는 고객보다, 반복해서 거래를 하게 되는 고객이 더 소중하다는 건 누구나 잘 알 것이다. 하지만 단 한 번의 만남으로 끝나지 않고, 고객과 장기적인 관계를 유지하며 추가 거래로 이어지게 만드는 것은 단순한 신뢰를 넘어서 지속적인 관계 관리가 뒷받침되어야 한다.

내 경험을 돌아보면, 고객과의 첫 거래 이후에도 그들을 기억하게 만드는 것이 중요했다. 고객이 거래가 끝나고 나면, 대부분 "아, 이제 끝났다"라고 생각할 수 있지만, 나는 그때부터가 진짜 시작이라고 생각한다. 매매나 임대가 완료된 후에도 주기적으로 그 지역의 부동산 동향이나 시장 변동 사항을 공유하면서 고객과의 연결을 지속적으로 유지했다.

예를 들어, 매매를 완료한 후,
나는 고객에게 다음과 같은 메시지를 보냈다.

"고객님, 최근 해당 지역에 대규모 개발 계획이 발표되었습니다. 해당 개발이 완료되면, 현재 매입하신 매물의 가치는 더욱 상승할 것으로 예상됩니다."

"고객님, 작년에 매입하셨던 아파트 단지에서 최근 높은 가격에 거래가 성사되었습니다. 참고하시라고 연락드렸습니다."

이런 메시지를 통해 고객은 나를 단순히 거래를 끝낸 중개사로 여기지 않고, 그 이후에도 꾸준히 도움을 주는 파트너로 인식했다.

내가 강조하는 것은 바로 '꾸준함'이다. 고객이 기대하지 않는 순간에 정보를 제공하는 것은 매우 효과적이다.

이러한 작은 소통이 쌓이면, 고객은 자연스럽게 나를 떠올리게 되고, 또 다른 부동산 거래가 필요할 때 먼저 나에게 연락을 하게 된다.

특히, 부동산 분위기가 항상 좋을 수는 없다는 점도 중요하다. 개업 초기에는 부동산 경기 하락을 정통으로 맞았지만, 시간이 지나면서 그 어려움 속에서도 소중한 교훈을 얻게 되었다.

3년 차부터 점점 달라진 상황을 체감하게 되었는데, 기존 고객의 연락이 늘어나고, 기존 고객의 소개로 새로운 계약을 성사시키는 경우가 많아졌다. 2024년 부동산 분위기가 하락하는 상황에서도 나는 기존 고객의 재거래와 그들이 소개한 새로운 고객들을 통해 계약을 이끌어내고 있다.

이러한 경험은 부동산 중개업에서 장기적인 관계 구축의 중요성을 다시 한번 깨닫게 해주었다. 거래가 끝난 후에도 고객과의 지속적인 관계를 관리하는 것이 얼마나 중요한지, 그리고 그것이 부동산 시장의 분위기와 상관없이 안정적인 성과를 낼 수 있는 비결이라는 것을 체감하게 되었다.

과거에 거래를 했던 고객이 거래가 이미 몇 년이 지난 상태였지만, 나는 그동안 꾸준히 해당 지역의 상권 변화와 상가 매물에 대한 정보를 보내주었다. 그 결과, 고객은 나를 신뢰하고 다시 나를 찾았다. 이처럼 첫 거래가 끝난 후에도 고객과의 관계를 꾸준히 이어가면, 추가적인 거래로 이어지는 것은 자연스러운 일이다.

내가 강조하는 또 다른 전략은 '감사와 인정의 메시지'다. 고객과의 거래가 끝난 후에도 작은 선물이나 감사 메시지를 보내는 것은 관계를 유지하는 데 큰 도움이 된다. 나는 주로 거래가 완료된 후에

"고객님, 이번 거래에서 저를 믿고 맡겨주셔서 감사합니다. 앞으로도 궁금한 점이 있으면 언제든 연락 주시길 바랍니다."

위와 같은 감사 메시지와 함께 작은 기념품을 보내곤 했다. 이러한 세심한 배려가 결국 장기적인 관계를 만들어가는 원동력이 되었다.

3장

억대 매출을 향한 도전과 현재

멘토와 배움의 힘

마이너스 시절의 심리와 변화

사업 초기, 내가 겪었던 마이너스 500만 원의 상황은 그야말로 초조함과 불안의 연속이었다. 그때 나는 강의를 들으면서도 그 내용이 나에게 현실적으로 적용되기 어렵다고 느꼈다. “저건 나와 맞지 않는다”라거나 “내 상황과는 다르다”라는 생각이 강했다. 아무리 좋은 강의라도, 내 상황에서는 실질적인 변화를 만들어내기 어렵다는 생각이 들었다. 나 스스로도 준비되지 않았고, 절박하지 않았기 때문이었다.

하지만 상황이 더욱 악화되면서 마이너스 2천만 원을 찍었을 때, 나는 달라졌다. 그때는 절박함이 극에 달했다. 더 이상 현실을 부정할 수 없었고, 이대로 가다가는 모든 것을 잃을 수 있다는 불안감에 사로잡혔다. 이때부터 내가 바라보는 강의와 멘토의 조언은 완전히 달라졌다. 더 이상 현실과 맞지 않다고 느끼는 게 아니라, 모든 말이 내게 쏙쏙 박혔다. 그 차이는 내 마인드셋에 있었다.

수천만 원의 강의비를 사용하고 소중한 경험을 얻었다. 내 지식을 맹신하면 명 강의도 안 들어오고, 내 지식을 버린다면 어느 강의에서도 배우는 것이 있었다. 모든 건 내 마인드셋이었다.
이전에는 강의를 듣고도 실행하지 않았지만, 이제는 달랐다. 강의를 듣고 나면 바로 실행에 옮겼다. 그 실행력이 결과를 만들어내는 힘이 되었다. 의지와 실행력이 결합되었을 때, 나는 비로소 변화의 첫걸음을 뗄 수 있었다. 그 과정에서 중요한 것은 내가 생각한 멘토의 존재였다.

멘토나 성공자의 조언을 단순히 듣는 것이 아니라, 그것을 실제 내 사업의 방향성으로 잡았다. 책을 보고, 강의를 듣는 순간마다, 그들이 제시하는 길을 내가 걸어갈 지침으로 삼았다. 내 계획은 다 실패했기에 다른 사람의 성공적인 전략을 시도했던 것이다.

< 관점의 변화 : 나의 방향성을 잡다. >

가장 기억에 남는 것은
"성공한 사람의 말을 그대로 따라가라"는 것이었다.

그동안 나는 누군가의 조언을 들어도 늘 내 방식대로 해왔고, 그로 인해 제대로 된 성과를 내지 못했다.
하지만 이제는 달랐다. 잘 된 사람들이 제시한 방법과 전략을 철저히 따르고 실행하기로 마음먹었다. 그 결과는 놀라웠다. 그들의 경험을 바탕으로 한 조언은 나에게 명확한 방향성을 주었고, 실행에 옮기니 바로 효과를 볼 수 있었다.

예를 들어, 내가 처음 시작했던 블로그 마케팅에서, "타깃 고객이 어디에 있는지 생각하라"라고 했다. 나는 그 말을 듣고 내 타깃이 지역 기반 고객이라면 블로그를 해야 하고, 전국 단위 고객이라면 유튜브를 해야 한다는 것을 깨달았다. 이 말이 너무도 당연하게 들렸지만, 그전에는 이 간단한 사실조차 체계적으로 생각하지 못했다. 하지만 블로그 마케팅을 시작하고, 지역 기반 타깃 고객을 유입시키는 데 성공했다. 이는 내 사업의 중요한 전환점이 되었다.

수많은 강의와 책을 통해 완전히 나의 기술로 가져오길 원한다면 나의 사고 나의 관점을 버려야 된다. 그들의 언어를 흡수하고 그들의 방식을 일단 실행하고 가능성 있는 부분은 집요하게 파고들어야 된다. 지식을 습득하는 것과 활용하는 것은 별개의 노력이 필요하다. 나의 사고 나의 관점을 버리고 중개시장을 바라봐야 되는 이유가 또 있다.

내 관점이 정말 잘못되었다는 걸 알게 된 사례가 있다. 돈을 못 벌 것 같은 사무소가 돈을 가장 잘 버는 경우도 있고 내향적 이 신분이 중개는 월등히 잘하는 경우다. 내가 바라보는 관점이 정답이 아니란 걸 다시 한 번 느끼게 되었다.

마이너스 시절에는 내가 보는 것만 보였다. 관점을 변화시켜야 된다. 나의 중심적 사고에서 타인의 중심적 사고까지 왔을 때 변화는 있었지만 매출에 대한 변화까진 없었다. 사고는 바뀌었지만 나만의 기준이라는 틀 안에서 변화했기 때문이다. 나만의 기준을 버리는데 시간이 오래 걸렸다. 즉 내 말이 정답이야 내가 생각한 게 맞아라는 건 사업 초기에 어울리지 않았다. 예를 들면 요리를 할 줄 모르는데 음식점을 차려서 내 기준대로 맞다 틀리다를 결정하고 있었던 것이다. 초기에 공동중개를 자주 하다 보면 노련한 중개사의 스킬을 경험할 수 있다.

형식적인 공동중개라고 생각하면 배울 것이 없다. 처음 보는 사람일수록 무조건 한 가지는 배울 게 있나는 마인드로 접근을 하면 한 가지는 꼭 배우게 된다. 손님 상대가 어려울수록 공동중개를 통해 상대의 장점으로 응대해 보길 바란다. 어느 순간 배울 거보단 왜 저렇게 하지?라는 순간이 온다. 이런 순간이 온다면 성장 한 것이다. 내 모습으로 중개를 하는 게 아닌 중개시장에 나를 던져야 한다. 그래야 생태계 파악을 빠르게 할 수 있고 생태계가 파악이 되면 이제 전략을 짜야 된다. 생태계를 파악하는 시간이 짧지 않을 것이다.

아직까지 개업 1년 만에 억대 매출을 벌어 본 사람을 못 봤다. 그렇다고 없을까? 내가 못 봤다 해서 없는 게 아니다. 내가 모를 뿐이다. 특히나 온라인 경쟁자와 오프라인 경쟁자가 동일하지 않다는 걸 알아야 된다. 과연 누가 우위 일가? 난 온라인 경쟁자가 없었다. 나만의 생각일 수도 있지만 경쟁자라고 할 수 있는 곳이 없었다. 하지만 오프라인은 아니다. 나보다 더 잘 버는 중개사무소가 여럿 있었다.

내심 걱정했다. 오프라인 강자가 온라인을 제대로 하면 경쟁조차 할 수 없다. 그들은 경쟁이 아닌 시장을 지배해 버릴 수 있다는 걸 알았기 때문이다. 다행히 오프라인 우위에 있는 사람들이 온라인에 대한 필요성과 중요성을 크게 느끼지 못하고 있다. 본인의 노하우가 있기에 이것만으로도 충분하다고 생각하는 것 같다.

이들이 온라인 시장에 들어오기 전에 미리 선점을 해 두 길 바란다. 난 오프라인에서 우위인 사람이 온라인을 제대로 하는 것이 가장 강력하다는 생각은 변함없다. 오프라인 우위인 사람처럼 그들의 장점을 당장 가질 수 없기에, 현재 나의 강점을 더 날카롭게 만들어야 된다. 나의 경우도 온라인에서 우위를 점했기에 손님 유치를 다른 부동산보다 많이 할 수 있었다.

내가 할 수 있는 건 공동중개였다. 경기가 안 좋을수록 온라인 강자가 우위를 점 할 수 있었다. 부동산에서 물건 홍보해달라 손님 붙여달라 하면서 매물을 공유해 줬다. 그러면서 유대관계를 쌓을 수 있었고 난 손님이 붙으면 우리 물건 타 부동산 물건을 동시에 브리핑했다.

손님 입장에서는 자신이 알고 있는 매물은 기본이고 모르는 물건도 안내를 받기에 타 부동산에 가는 확률을 줄였다. 또한 공동중개로 계약을 지속하면서 아군을 더 만들 수 있었다. 친한 것과 같이 계약하는 사이는 또 다른 것이다. 이렇게 공동중개를 통해서 계약을 쌓아가고 시간이 지나면서 물건을 더 확보할 수 있었다. 그리고 양 타가 늘면서 매출도 늘어나기 시작했다. 온라인에서 우위를 갖기 위해선 하는 방법을 아는 것은 기본이고 파는 방법 그리고 퍼널이라는 개념을 알아야 한다.

유입과 전환의 관계성

유입과 전환율의 변화

마케팅 전략이 자리 잡으면서, 나는 유입과 전환율의 개념을 다시 이해하게 되었다. 그전까지는 단순히 많은 고객을 유입시키는 것에만 집중했지만, 이제는 전환율이 중요하다는 것을 깨달았다. 유입된 고객을 어떻게 전문성으로 연결시켜 계약까지 이끌어갈 수 있는지가 핵심이었다.

마케팅을 통해 블로그에 방문한 고객들이 나의 전문성을 느끼도록 만들고, 그 결과 전환율이 올라가기 시작했다. 내가 가장 중점적으로 다룬 것은 타깃 맞춤형 정보 제공이었다. 고객들이 찾는 정보에 대해 나의 전문적 의견을 제시하고, 그들이 나에게 더 많은 질문을 던질 수 있도록 했다. 이 과정을 통해 방문자가 단순한 유입이 아니라 실제 계약으로 이어지게 되었다.

유입과 전환은 한 번에 이루어지는 것이 아니라, 꾸준히 쌓아 나가야 하는 과정이었다. 고객과의 상담 과정에서 그들이 원하는 정보를 미리 알고, 그들의 니즈를 미리 파악하여 제공하는 것이 중요했다. 특히 유입이 단순한 방문자 수를 올리는 것이 아니라, 고객과의 신뢰 관계를 형성하는 과정이라는 점을 깨달았다.

타겟 맞춤형 마케팅의 시작

내가 블로그나 광고를 통해 고객에게 접근할 때, 고객이 무엇을 필요로 하는지 명확하게 이해하는 것이 중요했다. 많은 수강생들이 블로그를 해야 하는지, 유튜브를 해야 하는지 고민을 많이 했다. 중요한 것은 내가 먼저 할 수 있는 것에 집중하는 것이었다.

블로그, 유튜브 한꺼번에 다 하려고 하는 대신, 내가 강점이 있는 채널을 먼저 선택하고, 그 채널을 최적화하는 것이 핵심이었다. 글 쓰는 것이 더 쉬운 사람은 블로그를, 말하는 것이 더 자연스러운 사람은 유튜브를 선택하는 것이 더 효율적이었다. 퍼널을 만들어가는 과정에서 시간이 오래 걸리더라도, 타깃에 맞는 콘텐츠를 제공하는 것이 중요했다.

이제는 내가 운영하는 채널에 불특정 다수의 조회수는 큰 의미가 없다. 방문자 수가 1만 명 2만 명이 와도 나의 사업 매출에는 변화가 없었다. 조회 수가 적어도 그들이 나의 예비 타깃이어야 한다. 조회수와 사업 매출이 연관이 없기에 조회수에 목숨 걸 필요 없다.

조회 수가 높으면 단순 광고비 정도는 오르겠지만 그 정도 금액으로는 사업에 변화는 없다. 그리고 광고비를 위해서 구독자나 조회수 올리는 것에 올인하게 된다. 결국 사업을 못하고 크리에이터가 되는 것이다.

구독자가 몇만이거나 블로그 지수가 최적 3이면 걱정이 없을까? 그들은 결국 수익화를 하지 못해 수익화에 대한 고민을 하게 될 것이다. 나의 채널은 수익화에 맞게 세팅이 되어있다. 즉 기획을 하고 채널을 운영해야 되는 것이다.

15년 전 용돈벌이를 위해서 운영을 했던 블로그는 용돈벌이 정도 돈을 벌었고, 직장을 다니면서 회사 홍보용으로 운영을 했던 블로그는 승진을 빠르게 올려주었다. 그리고 투잡으로 운영하던 블로그는 투잡으로 벌 만한 돈을 벌게 해 주었고, 사업에 맞는 블로그를 운영했더니 사업 매출을 올려주었다.

블로그를 어느 정도 생각하는지에 따라 그만큼만 효과 있을 것이다. 기획을 하고 운영하는 것과 남들이 하니깐 필요해 보이니깐 하는 것은 전혀 다르다. 정보성 블로그를 운영하라고 하는 사람을 조심해라. 그들은 블로그로 수익화하는 구조를 모르고 있는 것이다.

어설프게 블로그를 시작하는 것보다 기획에 시간을 투자해야 된다. 어떤 채널을 운영하고 어떤 목적으로 할 것인지 기획이 중요하다. 기획만큼 블로그가 성장할 것이다. 마케팅 채널이 하나도 없다면 블로그를 통해 유입을 시키고 중개실무 능력을 키워 전환을 하는 구조를 반드시 가져가길 바란다.

4장

네이버 블로그 마케팅

공인중개사 블로그, 왜 해야할까

왜 네이버 블로그를 해야 할까?

공인중개사로서 성공적인 마케팅을 위해 네이버 블로그는 필수적인 도구다. 많은 사람들이 다양한 플랫폼에서 활동하지만, 네이버는 여전히 부동산 정보를 탐색하는 주요 플랫폼 중 하나다. 공인중개사에게는 타깃 고객이 모여 있는 이 플랫폼에서 최대한의 노출을 확보하는 것이 중요합니다.

특히 네이버는 한국에서 많은 사용자가 부동산 정보를 검색하고 결정을 내리는 플랫폼이므로, 블로그를 통해 내가 가진 매물과 정보를 알리고 고객과 소통하는 것이 매우 효과적이다. 네이버 외에도 유튜브나 인스타그램 같은 채널이 있지만, 현재 타깃 고객이 네이버에서 활발히 활동하고 있기 때문에 네이버 블로그는 매우 중요한 마케팅 수단이다.

네이버 블로그를 활용한 글쓰기 전략

네이버 블로그를 단순히 운영한다고 해서 바로 고객에게 노출되는 것은 아니다. 네이버의 검색 로직과 **SEO(검색 엔진 최적화)**를 이해하고 이를 바탕으로 글을 작성해야만 블로그가 고객에게 자연스럽게 노출될 수 있다.

네이버는 C 랭크 알고리즘을 사용해 블로그의 품질과 활동성을 평가한다. 블로그 글이 많아도 최적화되지 않으면 타깃 고객이 쉽게 찾을 수 없다. 따라서 검색 노출을 극대화하기 위해서는 블로그의 주제, 게시글의 구성, 키워드 등을 체계적으로 관리해야 한다.

블로그 운영의 어려움과 극복 방법

많은 공인중개사들이 블로그를 운영하면서 어려움을 겪는 이유는 크게 두 가지다. 첫째, 네이버의 알고리즘을 제대로 이해하지 못하기 때문이다. 네이버 블로그가 어떻게 노출되는지, 어떤 키워드가 중요하고 어떻게 최적화해야 하는지에 대한 이해가 없으면, 아무리 좋은 글을 써도 고객에게 도달하기 어렵다.

둘째, 콘텐츠 기획의 어려움이다. 어떤 주제로 글을 써야 하는지, 무엇이 고객에게 유용할지에 대한 명확한 계획이 없으면 블로그 운영이 방향을 잃기 쉽다. 블로그 운영은 단순히 글을 쓰는 게 아니라, 고객이 원하는 정보를 제공하고 가치를 느끼게 해야 한다.

이를 극복하기 위해서는 블로그 기획이 필수다. 주제를 명확히 정하고, 일관된 콘텐츠를 지속적으로 제공하는 것이 블로그 성공의 핵심이다. 예를 들어, 공인중개사로서 지역 정보, 매물 정보, 부동산 트렌드 등을 체계적으로 포스팅하면서, 내 전문성을 보여주는 글을 작성하는 것이 필요하다.

블로그 글쓰기는 곧 기획이다. 블로그 글쓰기는 단순히 매물 정보를 나열하는 것이 아니다. 명확한 타깃과 목표를 설정한 후, 그에 맞춘 콘텐츠를 기획하는 것이 매우 중요하다. 예를 들어, 글을 작성할 때 누가 이 정보를 필요로 하는지를 먼저 생각한다.

그 타깃 독자가 원하는 정보를 제공해야 한다. 고객이 어떤 정보를 원하는지 정확하게 파악하고, 그에 맞춰 글을 작성하면, 그 글은 단순한 글 이상이 된다. 블로그 글쓰기는 기획의 과정이다. 글을 쓰기 전에 주제를 정하고, 그 주제에 맞게 어떤 정보를 제공할지, 어떻게 고객의 관심을 끌지를 먼저 구상해야 한다. 타깃이 명확하고 글의 목적이 분명할수록, 블로그 글쓰기는 훨씬 쉬워지고, 성과로 이어질 가능성도 높아진다.

블로그 성과를 높이는 비결: 콜 투 액션(Call to Action)

블로그 글은 단순히 정보를 제공하는 것을 넘어, 고객이 즉각적인 행동을 취하도록 유도하는 것이 중요하다. 이를 위해서는 콜 투 액션(Call to Action) 이 반드시 필요하다. 고객이 글을 읽고 나서 무엇을 해야 하는지 명확하게 알려줘야 한다.

대표적인 예시로는
"좋은 매물은 금방 사라집니다. 현재 가장 좋은 조건을 가진 매물을 확인하려면 아래 링크를 클릭해 주세요!"

이처럼 긴급성을 강조하고, 고객이 지금 바로 행동하게 만드는 문구를 사용하면, 고객이 글을 읽은 후 즉시 연락하거나 상담을 요청할 가능성이 높아진다.

결론: 블로그는 포기하지 말라

많은 사람들이 블로그를 시작하고 초반에는 성과가 나지 않아서 포기하는 경우가 많다. 하지만 블로그는 장기적인 마케팅 도구다. 꾸준히 글을 쓰고 최적화 과정을 거치면서 지수가 올려가다 보면, 결국 고객의 관심을 끌고, 성과로 이어지게 된다. 블로그 운영의 핵심은 지속성이다. 시간이 지나면서 쌓이는 글과 콘텐츠가 결국 고객에게 도달하는 과정이 되는 것이죠.
블로그는 지금 당장 성과를 내기 위한 도구가 아니라, 장기적인 관점에서 꾸준히 브랜딩하고 신뢰를 쌓는 과정이다. 그러므로 포기하지 말고 꾸준히 글을 쓰며 성과를 만들어가는 것이 중요하다.

나의 블로그 마케팅이 성공적으로 자리 잡으면서, 고객 유입이 꾸준히 증가했다. 콘텐츠 발행과 타깃 맞춤형 정보 제공으로 검색 상위에 노출되기 시작했다. 내가 제공하는 실질적인 정보가 고객에게 직접적인 도움이 되면서, 그들은 나의 블로그를 신뢰하고 다시 찾아오기 시작했다. 광고비를 들여 유입시키는 방식이 아닌, 고객과의 신뢰 관계를 기반으로 하는 장기적인 브랜드 구축 전략이었다.

고객들이 나의 전문성을 느끼고, 그에 맞는 상담과 컨설팅을 진행하면서 자연스럽게 계약으로 이어졌다. 이 과정에서 중요한 것은, 블로그가 단순히 방문자 수를 늘리기 위한 것이 아니라, 고객과의 관계를 구축하는 데 있었다. 블로그에서 시작된 신뢰 관계는 결국 실제 계약으로 이어졌고, 이때부터 나는 유입을 넘어 전환율을 높이는 데 집중하게 되었다.

공인중개사 블로그 세팅부터 운영까지

블로그를 왜 하는지, 어떻게 운영할지 먼저 생각해 봐야 된다.

계약을 위해서?
블로그 지수를 올리기 위해서?
수익화를 위해서?

여러 가지 목적이 있을 것이다. 블로그는 내 사업에 맞는 블로그로 기획하고 운영해야 된다. 기획하고 목적을 분명히 한 후에 드디어 블로그를 세팅하게 된다.

< 블로그 기획 단계별 세팅 >

1단계는 블로그의 주제를 설정해야 된다. 네이버에 알려준다고 생각하면 이해가 쉬울 것이다. 블로그를 꾸미거나 설정을 하려면 프로필 설명 아래 관리 탭을 클릭해야 된다.

관리 탭을 누르면 아래 사진처럼 나올 것이다.

블로그명 별명 소개 글을 작성하고 내 블로그 주제를 설정해 줘야 된다. 부동산을 운영한다면 비즈니스-경제를 선택해 주면 된다. 블로그 프로필 이미지는 PC에서 나오는 이미지다. 모바일앱은 모바일 버전이다.

블로그 정보

네이버ID 타입 개인 네이버 회원 가입 시 선택한 타입 정보입니다

연령그룹 정보가 없습니다.
연령 정보로 검색 및 추천 허용
내 블로그 글을 연령 정보로 구분하여 검색 결과로 노출하거나 추천할 수 있습니다
내 연령 그룹은 네이버ID의 연령정보를 기준으로 설정됩니다.

블로그 주소 https://blog.naver.com/109199 변경

블로그명 인플루언서 억수르부동산

별명 억수르

소개글 네이버 부동산 인플루언서, 현업 공인중개사 대표.
양천구 핫플 억수르부동산입니다.

내 블로그 주제 비즈니스 경제

블로그 프로필 이미지 등록 삭제
네이버 프로필에도 적용합니다.

모바일앱 커버 이미지 등록 삭제

블로그 꾸미기에 큰 노력을 하지 않아도 된다. 블로그에서 중요한 건 로직과 글쓰기 방법이다. 다른 블로거의 대문과 이미지가 기억이 나는 게 있는가? 본질에 집중을 하고 겉모습을 꾸미는 간단한 방법만 설명하겠다.

기본 설정은 블로그 정보를 입력하는 공간이다. 위 사진에서 보이는 블로그 정보에서 설정하면 된다. 꾸미기 설정에서는 레이아웃 위젯 설정란을 클릭한다.

레이아웃 위젯 설정을 클릭하면 블로그를 어떤 형식으로 보이게 꾸밀 것인지 설정할 수 있다. 우측 메뉴 사용설정에서 하나씩 눌러보면서 블로그를 세팅하면 된다.

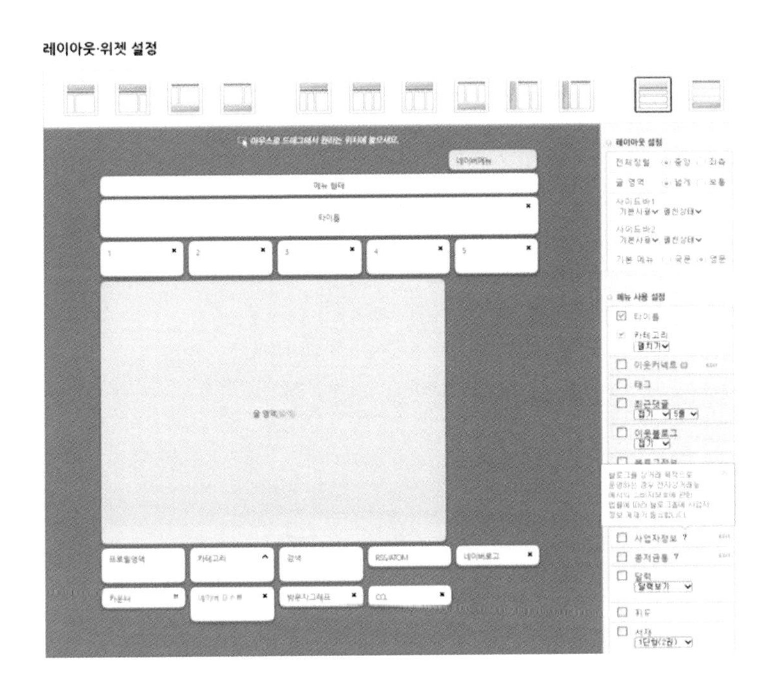

메뉴 글 동영상 관리에서는 블로그 정보와 블로그의 큰 틀이 끝난 후에 설정한다. 이제는 보이는 게시판을 설정하면 된다. 프롤로그와 카테고리 관리만 설정해도 된다.

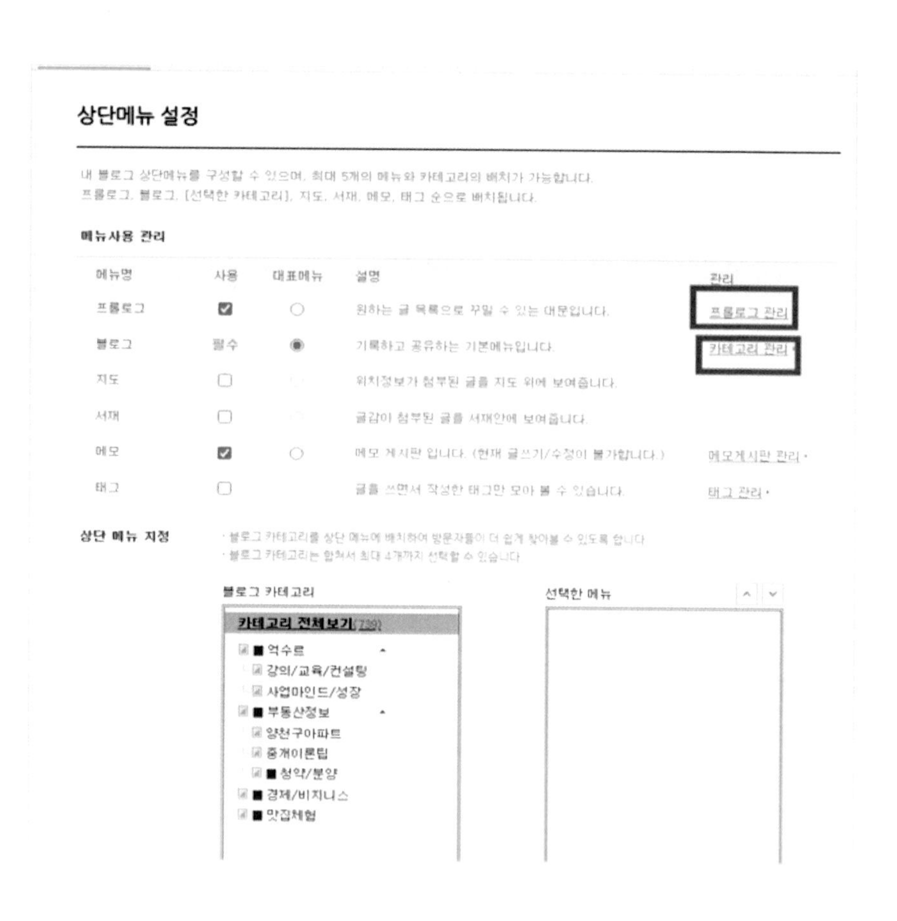

프롤로그를 누르게 되면 글 강조 이미지 강조를 설정할 수 있다. 게시판을 만들었다면 나의 블로그에서 해당 게시판 별로 몇 줄씩 뜨게 할 건지 설정할 수 있다.

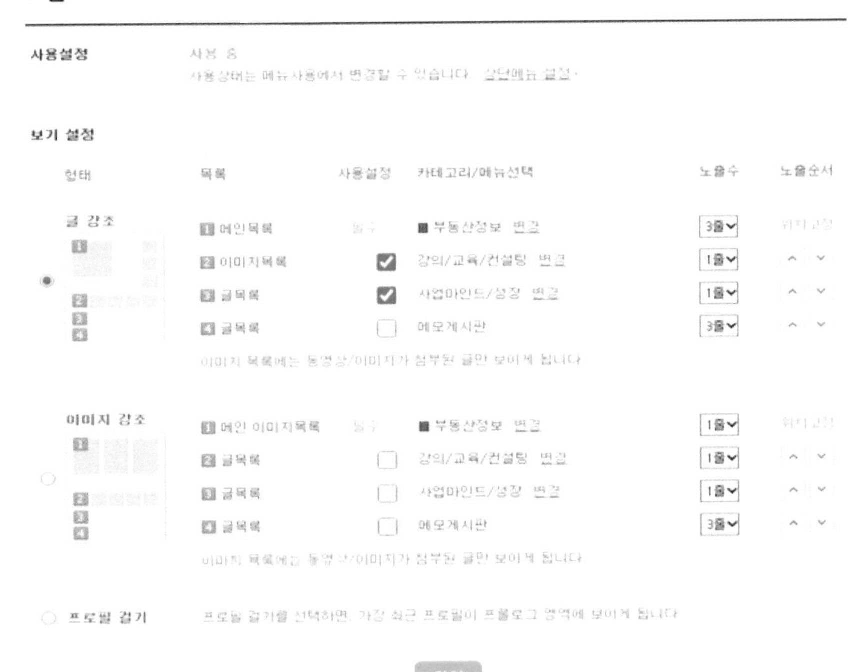

카테고리 관리를 누르게 되면 카테고리에서 게시판 별로 이름을 설정할 수 있다. 부동산 정보 지역 정보 중개 스토리 3개의 게시판을 추천한다.

여기에서 중요한 점이 있다. 게시판 별로 성격에 맞게 주제를 분류해줘야 한다. 부동산 관련해서는 비즈니스 경제로 설정하면 된다.

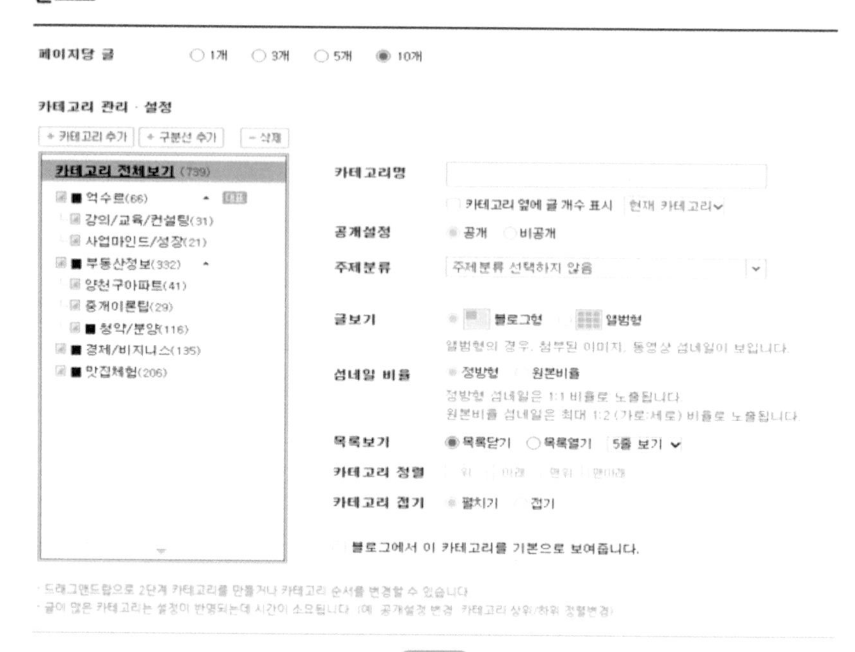

이제 블로그의 기본 세팅이 끝났다. 블로그의 전체적인 주제를 경제 비즈니스로 설정했다. 결이 맞아야 한다. 게시판 명도 경제 비즈니스로 설정하고 일상 게시판이 없다면 주제도 경제 비즈니스로 설정하면 된다.

결이 맞는 블로그 세팅이 끝났다. 멋진 이미지도 만들고 싶다면 "크몽"이라는 사이트에 접속해서 블로그 대문 검색하면 전문가에게 맡겨서 진행할 수 있다.

블로그 기본 세팅이 끝났다면 이제는 블로그 기초 내용을 정리하고 시작해야 된다. 블로그 생태계를 알아보겠다. 네이버에서 공식적으로 블로그에도 레벨이 있다고 하진 않았다. 하지만 많은 사이트에서는 지수라는 이름으로 레벨을 설정하고 있다. 먼저 나의 지수를 공개하고 설명을 이어가겠다.

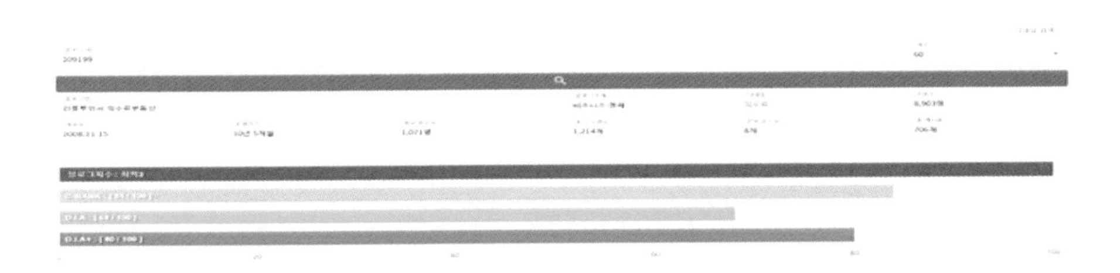

이제 내 말을 믿고 아래 설명을 들어주었으면 한다. 블로그가 어려운 이유는 내 위치를 모르고 나의 경쟁자의 위치를 모르기 때문이다. 추가로 내가 작성하는 글의 키워드 경쟁력을 모르기에 효과가 없는 것이다.

< 레벨 참고 >
저품질 < 일반 < 준최 1-7단계 < 최적 1-3단계

아래 사진을 예시로 설명해 보겠다. 동탄역 아파트 매매 키워드로 글 쓰기 전 경쟁도를 파악한다. 시간 에너지를 소비할지 결정할 수 있다. 내가 잡으려는 키워드를 어떤 레벨의 블로그가 잡아놨는지 파악하고 내 키워드 레벨을 비교해 본다.

예시로 든 사이트는 유료사이트이고 아래 "블덱스" 라는 사이트에서 무료로 확인할 수 있다.

2시간 동안 블로그 글을 올렸는데 노출이 전혀 안된다면 허탈할 것이다. 이런 경우가 지속적으로 발생한다면 결국 블로그를 떠나게 된다. 애초에 내가 경쟁이 될 키워드인지 파악을 하는 것이 그만큼 중요하다.

이제는 글을 작성하기 전 키워드를 미리 검색해야 되는 이유가 한 가지 더 추가되었다. 네이버는 지속적으로 개편이 된다. 키워드 별로 검색창의 시스템이 변경되었다. 아래 사진과 함께 설명해 보겠다.

전세 계약 연장 계약서로 검색을 하니 비즈니스 경제 인기글로 나온다. 예전 로직이 적용된 키워드다. 초반에 설명했던 4가지 항목별에서 총점으로 노출의 순위가 결정된다.

N 전세계약연장 계약서

비즈니스·경제 인기글

2024.08.26.

전세계약 연장 청구권 **계약서** 양식 확인

만약, 기한이 끝난 시점에 세입자가 새로운 주거지를 찾지 않고 전세계약 연장 청구권을 원할 때 해야 하는 과정에 대해 자세하게 살펴보겠습니다. 세입자에게 유리한 방식인 묵시적 갱신에 대해 살펴보겠습니다. 2개월

전세계약 연장 계약서 알아보기

전세계약 연장 계약서 복비 알아보기

2024.09.09.

전세계약 연장 계약서 양식 알아보기

이는 임대인이 부담하기 때문입니다. 전세계약 연장 시 위의 권리를 사용하게 되면 새롭게 계약서를 작성하지 않아도 됩니다. 동일한 조건으로 기간이 연장된 것이기 때문입니다. 만일, 변경된 부분이 있다면 특약에 추...

2024.08.04.

전세계약 연장 계약서 작성 방법 및 주의사항 안내

전세계약 연장 계약서란? 이전 전세 계약 만료의 도래로 기간을 연장할 시에 사용되는 문서가 바로, 연장계약서라고 보시면 되는데요. 서식 구성 항목으로는 부동산의 표시 및 소유관계... 전세계약 연장 종류 이번에는...

전세 계약 주의사항으로 키워드를 검색했더니 비즈니스 경제의 전체 점수로 노출이 다른 기준으로 노출이 된다. 에어 서치를 기반으로 스마트 블록 노출이다. 스마트 블록은 당장의 지수가 낮은 사람에게도 전문성을 보여준다면 알고리즘이 상위 노출이 해주는 방식이다.

전문성은 이전에 설명했던 C-RANK이다. 그렇다면 지수가 낮을수록 C-RANK를 관리를 해야 된다는 걸 이해해야 된다. 일상해도되나요? 맛집 올려도 되나요? 이런 질문은 답을 안 해도 알 것이라고 본다.

스마트 블록에 대한 자세한 사항은 강의에서만 오픈되고 있다. 이제 시작한다면 C-RANK를 관리하면서 블로그를 운영하길 바란다.

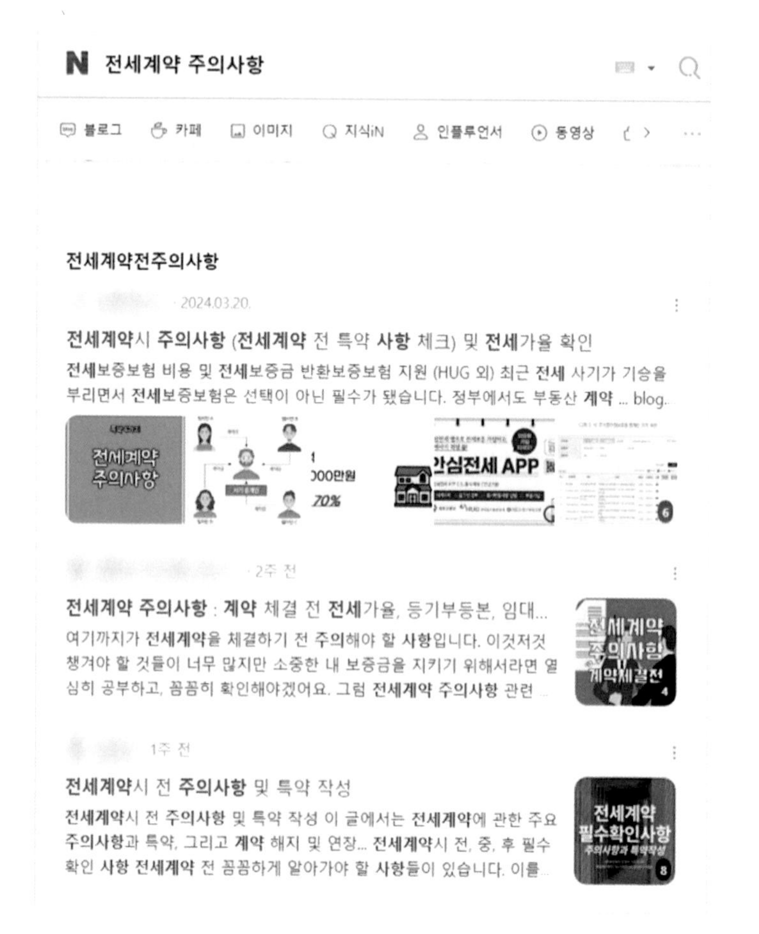

블로그는 어떤 기준으로 노출이 되는가?

블로그는 전체적인 총점으로 순위가 결정되는데 아래 4가지 요소가 중요하다.

1) 블로그 레벨에 대한 점수
2) 내가 작성한 글에 대한 점수
3) 내가 작성한 글의 발행 시점에 대한 점수
4) 내가 작성한 글의 트래픽에 대한 점수

위 4가지 형태의 점수에서 배점을 받고 총 점수를 비교하여 키워드에 대한 순서가 정해진다. 각 항목별로 점수를 잘 받을 수 있는 방법이 있다.

1) 블로그 레벨에 대한 점수

블로그 세팅에서 우리는 일관된 주제로 블로그를 세팅했다. 블로그의 주제부터 게시판의 주제까지 경제-비즈니스로 설정을 했다. 그렇다면 글은 어떤 글을 써야될까? 맞다. 경제-비즈니스 관련된 글을 업로드하면된다.

간혹 일상 올려도 되는지 맛집 올려도 되는지 묻는 사람들이 있다. 초반에 블로그 레벨을 빠르게 올리고 싶다면 경제-비즈니스 주제로 일관되게 글을 올리는 게 좋다. 부동산 관련된 글을 계속 올리게 된다면 나의 블로그는 부동산 관련된 전문가로 인식이 된다.

C-RANK가 올라간다. C-RANK란 네이버에서 전문가를 우대해 주기 위한 알고리즘이다. C-RANK가 높을수록 유리한 구조다. 부동산 글을 올리다 간혹 맛집을 올리게 된다면 C-RANK 점수가 떨어질 것이다.

2) 내가 작성한 글에 대한 점수

매일 먹고 자다 보니 살이 쪘다. 살을 빼기 위해선 유산소가 최고다. 유산소를 30일 연속하면 살은 100% 빠진다.

위 예시글로 블로그 글을 올리게 되면 내가 작성한 글에서 금칙어가 발견된다. 나는 일상 글을 작성했지만 네이버에 설정된 금칙어 키워드가 들어가 있기 때문이다. 올바르게 작성하는 것보다 하지 말라는 단어를 사용하지 않는 게 중요하다.

어떤 금칙어가 들어갔는지 궁금하다면 네이버에서 금칙어 검사기를 검색해서 찾아보길 바란다.

3) 내가 작성한 글의 발행 시점에 대한 점수

발행 시점은 더욱 간단하다. 최근에 작성한 글일수록 점수를 가장 많이 받는다.
2시간 전에 끓인 라면보다 방금 끓인 라면이 맛있지 않은가?

4) 내가 작성한 글의 트래픽에 대한 점수

글을 작성하게 되면 드디어 업로드했다.라고 생각을 하지만 여기서 끝내면 안 된다. 네이버 구글 유튜브 인스타 페이스북 모든 채널의 공통점이 있다. 우리의 환경에서 우리의 구독자들에게 좋은 정보를 제공하는 유저를 좋아할 수밖에 없다. 글을 올릴 때마다 우리의 팬들에게 호응을 받는 계정을 가만히 두겠는가? 높은 점수를 준다. 게다가 소통까지 하는 유저라면 더욱더 좋아할 것이다. 내가 작성한 글이 누군가는 공유해 가고 누군가는 댓글을 달고 누군가는 공감을 누른다면 나의 트래픽은 높은 점수를 받게 된다.

아직 소통하고 이웃이 없다면 카카오톡을 켜고 오픈 채팅방 검색에 품앗이라고 작성하면 카톡 방이 나온다. 해당 카톡 방에 입장해서 글을 작성하고 내 글을 공유하면서 서로 지원을 해주는 방법도 있다.

C-RANK , 다이아로직 비교하기

C-RANK는 다시 정리하면 해당 분야의 전문성이다. 그렇다면 다이아, 다이아(+)는 무엇일까? 다이아는 연관성이다. 키워드 제목과 내용이 연관되어야 한다. 키워드 제목으로 낚시를 하고 내용은 광고를 하는 경우 다이아 점수가 낮게 설정된다.

예를 들어 부동산 중개 수수료 키워드로 포스팅을 한다면 게시글 내용에는 중개 수수료에 대한 정확한 비용이나, 해당 금액에 대한 수수료를 금액으로 설정해 주는 것이 좋다. 부동산 중개 수수료를 검색한 사람은 비용이 궁금할 것이다. 그렇다면 내용에도 비용이 나와야 한다. 다이아 (+)는 검색자의 의도에 맞는 글을 작성하라는 것이다. 초반에는 C-RANK 와 다이아 정도만 신경 써도 충분하다.

내가 작성한 글이 노출이 안된다면?
네이버 검색창에 "키워드 제목"으로 검색을 해보면 된다

제목 그대로 검색했는데 노출이 된다면 경쟁에서 뒤처진 것이다. 내가 작성한 글들을 전부 위 방식으로 검색했는데 노출이 안된다면 저 품질을 의심해 봐야 된다

간혹 내 블로그가 갑자기 저품질이 되었다고 하는 사람들이 있다. 저품질은 하루아침에 찾아오지 않는다. 지속적으로 잘못된 방식으로 운영을 했기에 저품질로 빠지게 되는 것이다. 네이버가 좋아하는 것과 싫어하는 것을 구분한다면 블로그 운영에 도움이 된다. 네이버는 새로운 글, 새로운 이미지를 좋아하고 유사한 글 유사한 이미지를 싫어한다. 특히 내가 무심코 작성한 단어 중에서 상업적인 불법적인 키워드를 극도로 싫어한다. 상업적인 키워드는 최고 100% 가장 프리미엄처럼 과장하는 경우이고 불법적인 키워드는 청소년보호법 19금 단어처럼 선정적인 단어를 싫어한다.

블로그는 글 작성도 중요하지만 사이트들을 알고 있는 것도 중요하다. 아래는 키워드에 대한 정보를 얻을 수 있는 “블랙 키위”라는 사이트다. “웨어 이즈 포스트”라는 사이트도 활용해 보길 바란다.

팔리는 글쓰기를 써야합니다

글쓰기의 기본과 핵심 전략

돈이 되는 글쓰기는 단순한 정보 전달을 넘어서 고객의 마음을 사로잡는 것이다. 내가 처음 블로그를 시작했을 때, 가장 큰 고민은 어떻게 효과적으로 글을 쓸 것인가였다. 방문자는 있지만, 그들이 내 글을 보고 실제로 행동으로 이어지지 않는다는 문제가 있었다. 이때부터 나는 고객이 내 글을 읽고 행동하게 만드는 글쓰기 전략을 연구했다.

먼저 중요한 것은 타깃 고객이 무엇을 필요로 하는지를 정확하게 파악하는 것이다. 예를 들어, 내가 아파트 매매를 주로 다루는 공인중개사라면, 고객들이 아파트 매매에서 가장 궁금해할 만한 질문들을 미리 예상하고, 그 질문에 대해 해결책을 제시하는 글을 작성하는 것이다. 이런 글쓰기는 단순한 정보 제공이 아닌, 고객의 니즈에 맞춘 맞춤형 글쓰기로 전환된다.

나는 글을 작성할 때 구체적인 사례와 실제 경험을 바탕으로 작성했다. 고객들이 읽고

"이건 나에게 필요한 정보야"

라고 느끼도록, 그들의 고민을 풀어줄 수 있는 내용을 담았다. 특히 전문성을 강조하고, 고객이 이 글을 읽음으로써 얻게 될 이점을 명확하게 제시했다. 이런 글쓰기 방식은 고객들이 단순히 글을 읽고 끝나는 것이 아니라, 내게 더 많은 질문을 던지도록 만들었고, 실제 상담으로 이어졌다.

후킹 스토리와 제안 기법

후킹 스토리는 고객의 관심을 끌고, 그들이 클릭하게 만드는 첫 단계다. 내 블로그에서 중요한 것은 고객을 글로 끌어들이는 것이었다. 후킹을 잘못하면 아무리 좋은 정보가 담긴 글이라도, 고객이 클릭하지 않는다. 후킹 전략으로는 구체적인 숫자나 특정 타깃을 명확하게 설정하는 것이 효과적이었다.

예를 들어,
"10억대 아파트 매매의 5가지 팁"

위와 같은 제목은 구체적인 숫자를 통해 고객의 눈길을 사로잡는다. 또, 내가 목표로 하는 특정 고객층을 타깃으로 하는 경우, 그들이 바로 반응할 수 있는 후킹 문구를 사용했다. 클릭을 유도하는 첫 단계에서 후킹이 제대로 작동해야, 고객들이 글을 읽게 되고 그 이후로 행동으로 이어질 수 있었다.
하지만 후킹에서 끝나면 안 된다. 후킹이 고객을 끌어들였다면, 이제 그 글이 실제로 고객에게 유용한 정보를 제공해야 한다. 후킹만 강하고 내용이 빈약하면 고객은 실망하게 되고, 다시는 그 글을 찾지 않는다. 그래서 나는 후킹 뒤에 구체적이고 실질적인 정보를 반드시 담았다. 고객이 글을 읽고, 정말 도움이 되었다고 느낄 수 있도록 실제 사례와 경험을 담았다.

마지막으로 중요한 것은 제안이다. 나는 고객에게 단순히 "연락 주세요"라는 식의 제안을 하지 않았다. 고객이 나에게 연락했을 때 얻게 될 구체적인 혜택을 제시했다.

예를 들어,
"광고에 없는 매물 리스트를 보내드리겠다"

실질적인 이득을 제시함으로써, 고객이 나에게 연락할 동기를 주었다.

글쓰기를 어려워하는 이유는 네이버의 존재가 크다. 글을 잘 쓰지만 네이버의 생태계를 모르면 효과가 없다. 네이버의 생태계를 알지만 글을 못 쓰면 효과가 없다. 즉 네이버의 생태계를 알고 글을 잘 쓰면 효과를 볼 수 있다. 이번에는 팔리는 글쓰기를 왜 작성해야 되는지 얘기해 보겠다. 예를 들어 고깃집을 찾을 때 광고를 보고 찾아간다. 광고를 보면 고깃집의 메뉴도 있고 사진도 있고 리뷰도 있고 인근 고깃집과 비교도 한다.

흑백 요리사를 잠깐 생각해 보자. 그들의 퍼포먼스를 보고 팬이 되거나 사람에 대해 궁금해진다. 이 사람이 이렇게까지 실력자였어? 출연자가 실력을 보여주기 전에는 알 수가 없다. Tv를 봤더니 궁금증이 생기고 매장도 가보고 싶다는 생각이 든다. 이미 수요가 많기에 출연 전보다 매출이 급상승했다.

어딘가에 노출이 되어야 한다. 흑백 요리사 출연진은 주특기가 요리이기에 요리로 노출을 한 것이다. 출연자의 언어로서 그 사람에 대해 궁금해지고 행동을 보면서 정말 실력자가 맞구나라고 생각한다.

출연진의 업장을 방문할 때는 이미 그 사람한테 신뢰가 생긴 상황에서 그 사람이 파는 거를 소비하기 위해 가는 것이다. 다른 사람의 성공적인 사례를 통해 내 사업에 적용하는 연습은 습관이 되어야 한다.

5장

네이버 파워링크? : 검색 광고 마케팅

네이버 파워링크? 검색광고?

이번 장에서는 네이버 파워링크를 소개하려고 한다. 네이버 파워링크를 세팅하는데 수십 만원의 비용을 지불하는 분들께 도움이 될 것이다. 아직 네이버 파워링크를 모르는 분들이라면 이번장을 집중해서 보시길 바란다.

네이버 파워링크는 무엇일까?

네이버 파워링크는 네이버에서 제공하는 검색 광고 서비스다. 특정 키워드를 검색했을 때 검색 결과 페이지의 상단에 광고를 노출시킬 수 있다. 타깃층이 네이버에서 활발하게 활동할수록 효과적인 마케팅 도구이며, 내가 초기에 사용했던 네이버 마케팅이다.

대부분 키워드에서만 광고가 된다고 생각하는데 네이버 플레이스 및 다른 매체에도 파워링크 광고를 설정할 수 있다.

네이버 파워링크를 세팅하기 위해선 네이버 검색광고에 가입해야 된다.

아래와 같은 단계로 가입을 진행한다.

1. 네이버 검색광고 회원가입
2. 가입유형 선택 < 사업자 광고주 >
3. 회원 정보 입력하기
4. 세금 계산서 정보 입력하기

광고를 시작하기 위한 비즈 채널 승인 방법
비즈 채널에서 소재에 사업자 명이 들어가야 된다.

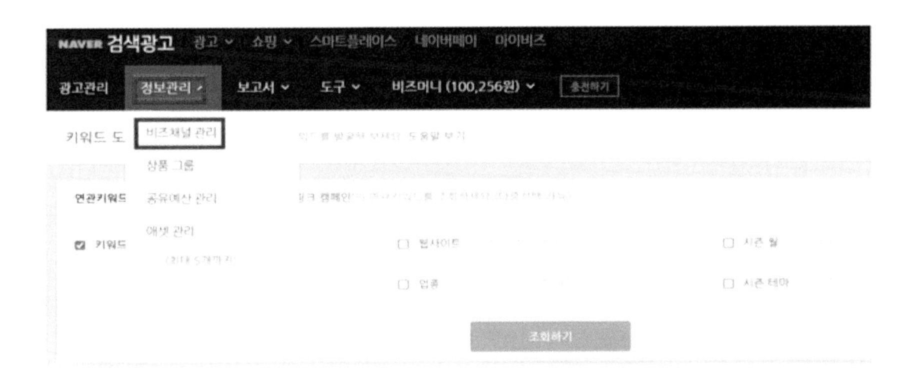

채널추가를 누르면 웹사이트 전화번호 플레이스 위치정보 다양하게 설정이 가능하다.

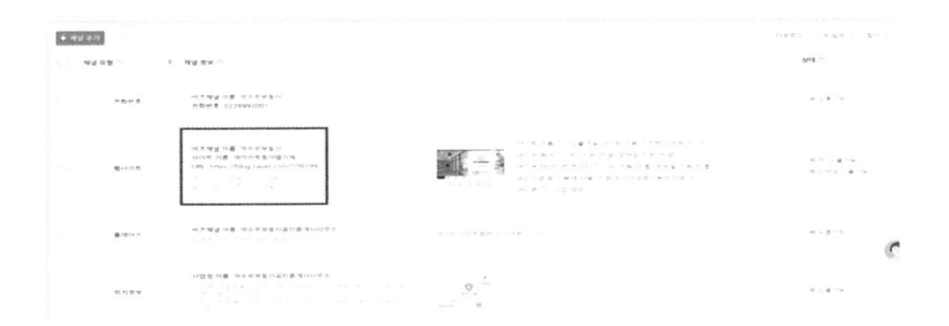

비즈 채널 설정이 되었다면 이제 키워드 도구에서 광고를 세팅하면 된다. 아래 사진을 참고해서 진행해 보자.

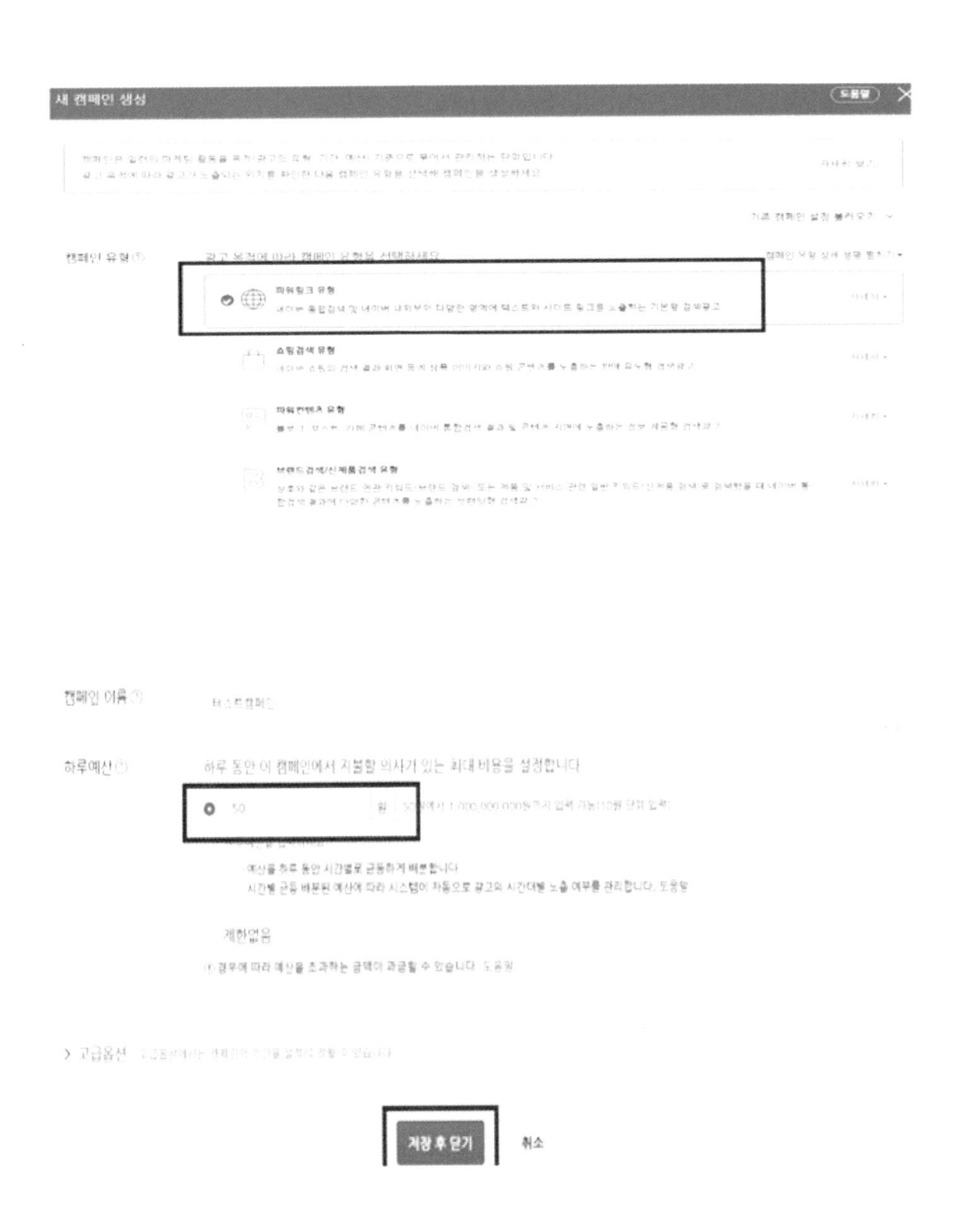

새 캠페인 생성
도움말
캠페인 유형
광고 목적에 따라 캠페인 유형을 선택하세요
파워링크 유형
쇼핑검색 유형
파워컨텐츠 유형
브랜드검색/신제품검색 유형
캠페인 이름
하루예산
하루 동안 이 캠페인에서 지불할 의사가 있는 최대 비용을 설정합니다
50
원
예산을 하루 동안 시간별로 균등하게 배분합니다
시간별 균등 배분된 예산에 따라 시스템이 자동으로 광고의 시간대별 노출 여부를 관리합니다. 도움말
제한없음
경우에 따라 예산을 초과하는 금액이 과금될 수 있습니다. 도움말
고급옵션
저장 후 닫기
취소

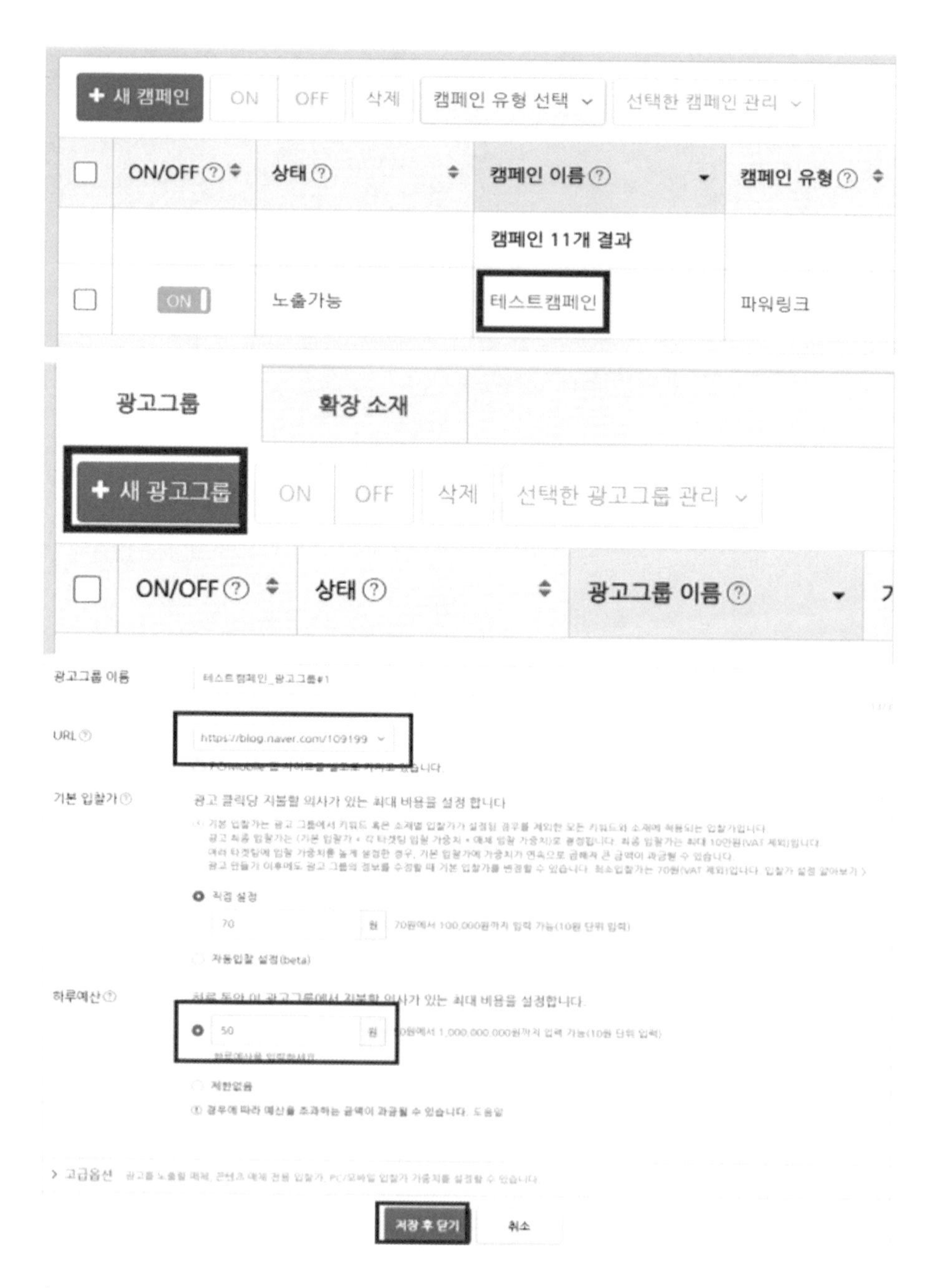
+ 새 캠페인
ON
OFF
삭제
캠페인 유형 선택
선택한 캠페인 관리
ON/OFF
상태
캠페인 이름
캠페인 유형
캠페인 11개 결과
ON
노출가능
테스트캠페인
파워링크
광고그룹
확장 소재
+ 새 광고그룹
ON
OFF
삭제
선택한 광고그룹 관리
ON/OFF
상태
광고그룹 이름
광고그룹 이름
URL
https://blog.naver.com/109199
기본 입찰가
광고 클릭당 지불할 의사가 있는 최대 비용을 설정 합니다
직접 설정
70
원
자동입찰 설정(beta)
하루예산
50
원
제한없음
고급옵션
저장 후 닫기
취소

광고그룹기준 연관 키워드에서 클릭으로 추가 가능하고 키워드 기준 연관 키워드에서 키워드 검색 후 추가도 가능하다. 파란색 추가를 누르게 되면 선택한 키워드 리스트에 자동 입력된다.

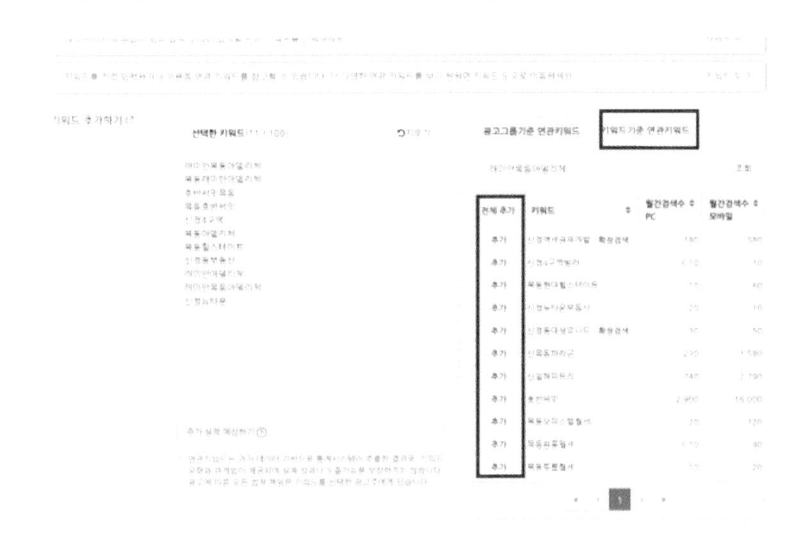

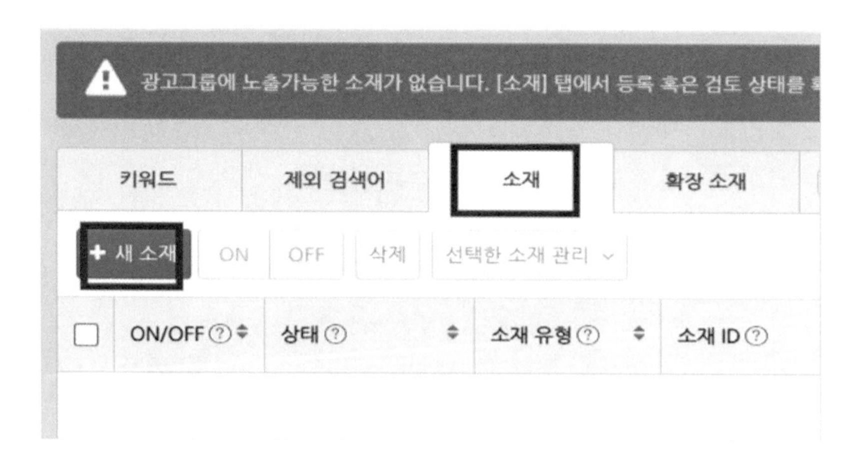

< 제목 설정 >

제목 (3 / 15)

래미안목동아델리체 — 키워드삽입 — 9/15

단지내부동산 — 키워드삽입 — 6/15

엄마들이 좋아하는 부동산 — 키워드삽입 — 13/15

제목 4 — 키워드삽입 — 0/15

제목 5 — 키워드삽입 — 0/15

제목 6 — 키워드삽입 — 0/15

제목 7 — 키워드삽입 — 0/15

+ 추가

15개 전체 보기

< 설명 설정>

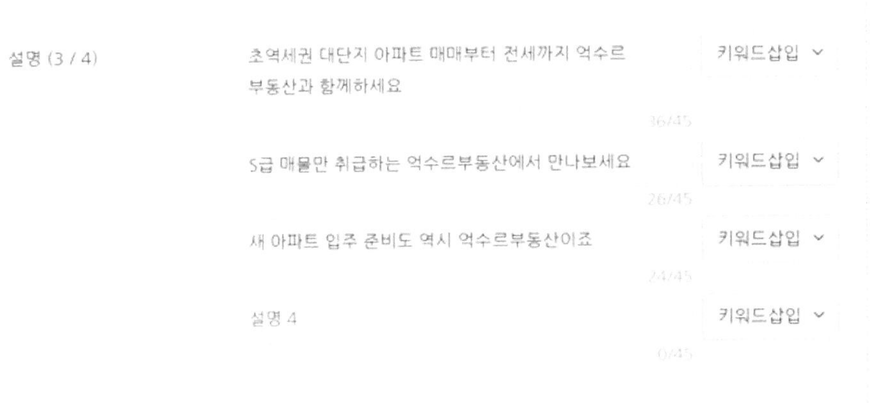

설명 (3 / 4)

초역세권 대단지 아파트 매매부터 전세까지 억수르부동산과 함께하세요 | 키워드삽입
36/45

S급 매물만 취급하는 억수르부동산에서 만나보세요 | 키워드삽입
26/45

새 아파트 입주 준비도 역시 억수르부동산이죠 | 키워드삽입
24/45

설명 4 | 키워드삽입
0/45

우측 화면에 미리보기가 나온다.

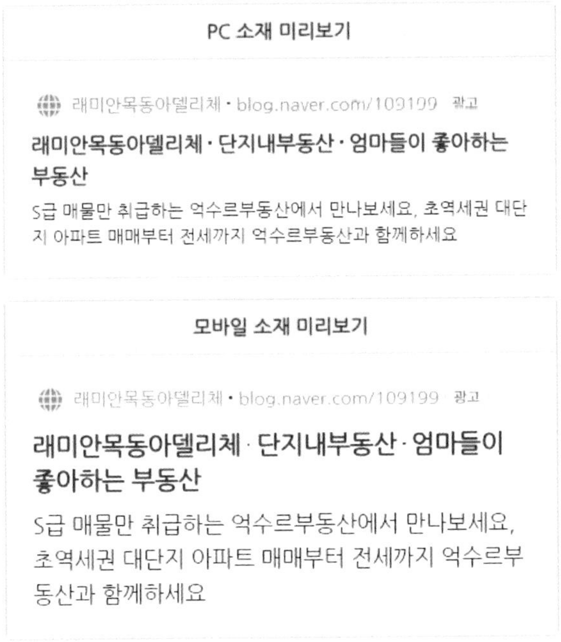

PC 소재 미리보기

래미안목동아델리체 • blog.naver.com/109199 광고

래미안목동아델리체 · 단지내부동산 · 엄마들이 좋아하는 부동산

S급 매물만 취급하는 억수르부동산에서 만나보세요, 초역세권 대단지 아파트 매매부터 전세까지 억수르부동산과 함께하세요

모바일 소재 미리보기

래미안목동아델리체 • blog.naver.com/109199 광고

래미안목동아델리체 · 단지내부동산 · 엄마들이 좋아하는 부동산

S급 매물만 취급하는 억수르부동산에서 만나보세요, 초역세권 대단지 아파트 매매부터 전세까지 억수르부동산과 함께하세요

확장 소재를 꾸미면 나의 광고를 업그레이드할 수 있다.

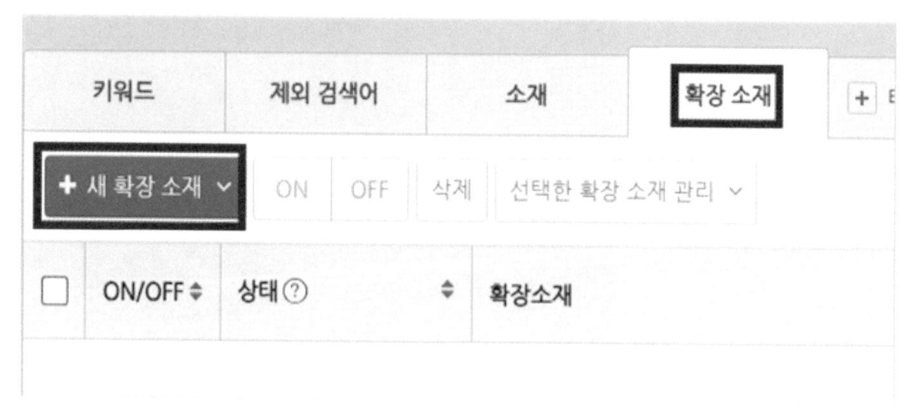

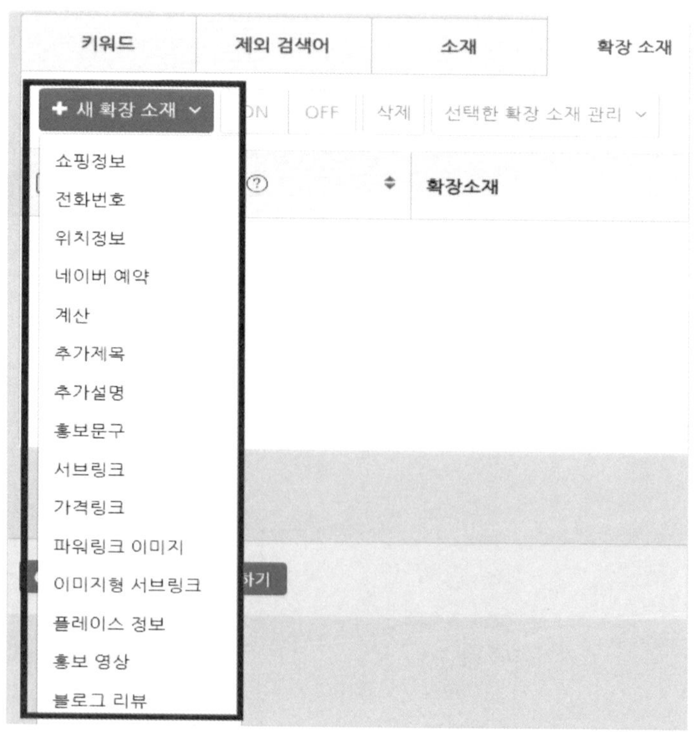

파워링크의 경쟁 시스템

파워링크의 순위는 경쟁 시스템이다. 순위에 따라 클릭 시 나가는 금액이 다르다.

현재 2위로 등록되어 있고 1등으로 등록하려면 어떻게 해야 될까?

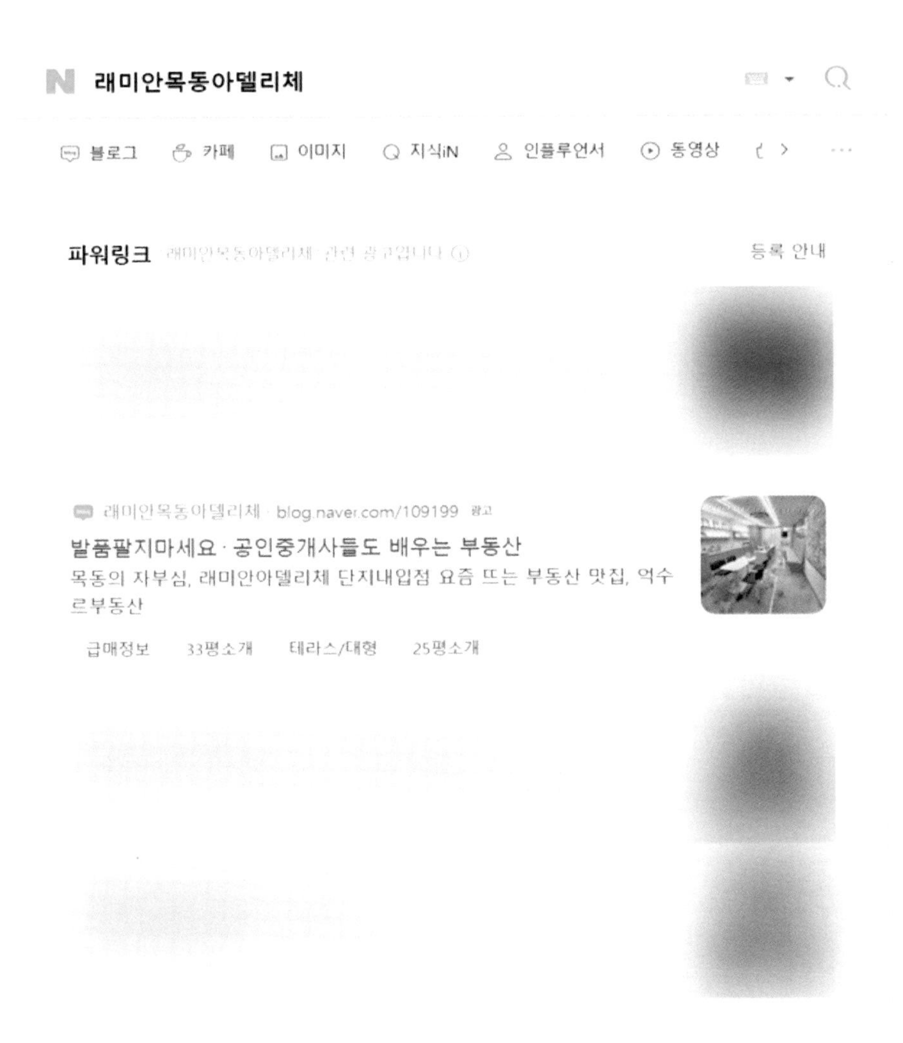

해당 키워드를 클릭하고 입찰가 변경을 누르고 입찰가 개별 변경을 클릭한다.

여러 키워드를 한 번에 입찰가 변경도 가능하다. 그럴 경우 일괄 변경을 클릭하면 된다.

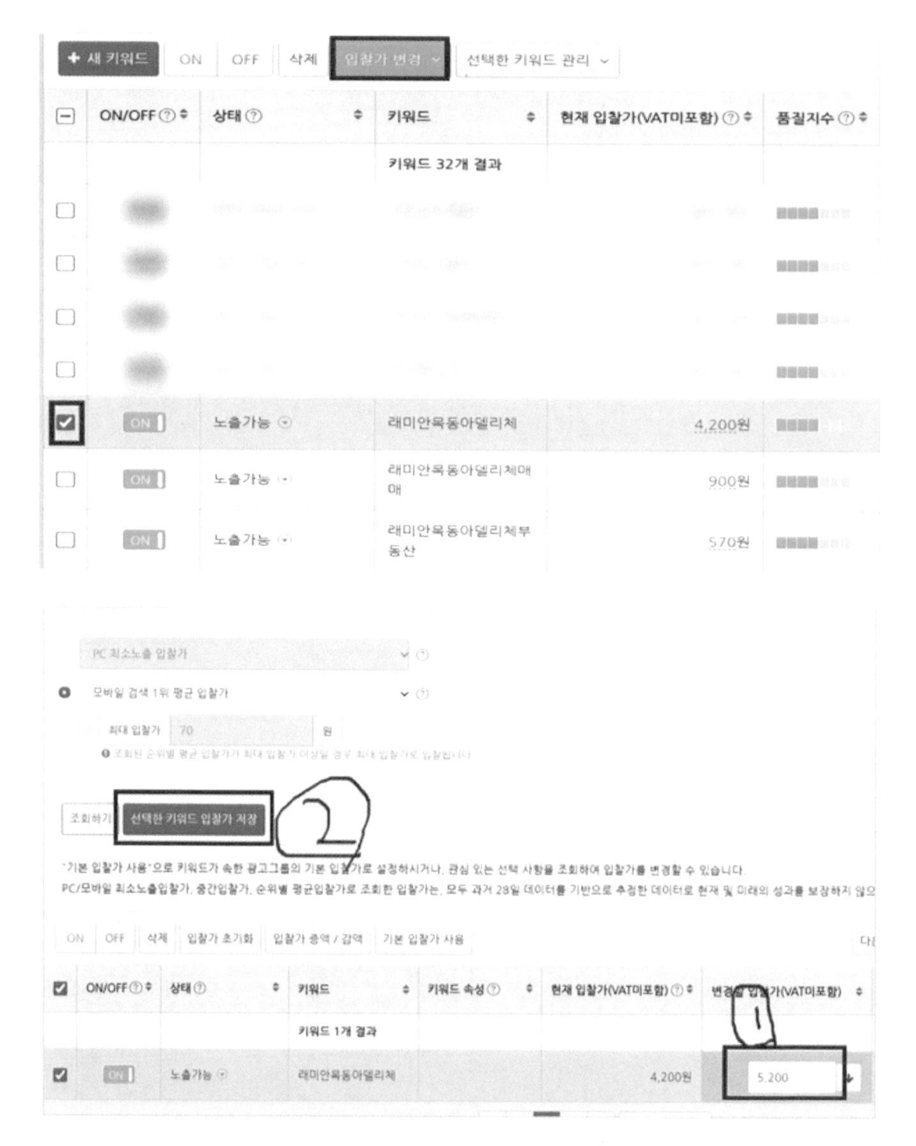

N 래미안목동아델리체

블로그 카페 이미지 지식iN 인플루언서 동영상 ⋯

파워링크 '래미안목동아델리체' 관련 광고입니다. ⓘ 등록 안내

래미안목동아델리체 · blog.naver.com/109199 광고

발품팔지마세요 · 공인중개사들도 배우는 부동산 · 엄마들이 찾...

목동의 자부심, 래미안아델리체 단지내입점

급매정보 33평소개 테라스/대형 25평소개

네이버에 상위 노출을 위해 무조건적인 블로그만 하는 분들이 많다. 블로그 노출도 중요하지만 네이버 1페이지에 노출하는 것이 더 중요하다. 당장의 블로그를 키워서 노출이 어렵다면 광고를 먼저 시작하고 블로그 하는 것을 추천한다.

6장

마케팅 퍼널 설계와 AI

블루오션vs레드오션

레드오션 시장에서 경쟁하는 문제

부동산 중개업을 처음 시작하면서 내가 겪었던 가장 큰 어려움 중 하나는 레드오션 시장에서의 경쟁이었다. 레드오션은 이미 과잉 경쟁이 이루어지고 있는 시장을 뜻한다. 공인중개사들이 몰려있고, 손님도 많지만 거래의 가능성이 낮은, 매물에서 우위를 점하지 않으면 계약을 따내기 힘든 시장이다. 이곳에서는 부동산 정보는 넘쳐나고, 고객들은 누구에게 의뢰할지 헷갈려 했다.

내가 레드오션 시장에서 경쟁할 때, 매일같이 네이버 광고 매물을 최상단으로 올리기 위해 몰두했다. 고객 유입은 많아도 실제 계약으로 이어지는 경우는 극히 드물었다. 그리고 매일같이 경쟁 중개사들과 똑같은 매물로 가격 경쟁을 벌이며 소모되는 나 자신을 발견했다. 이 과정에서 많은 중개사들이 지쳐 나가떨어졌다.

그러나 이와 동시에 나는 다른 시장, 블루오션 시장이 존재한다는 것을 발견하게 되었다. 블루오션은 아직 경쟁이 치열하지 않거나, 장기적인 시각을 필요로 하는 시장이다. 이곳에서의 고객들은 당장 거래를 앞두고 있지는 않지만, 6개월에서 1년 후에 거래를 준비하는 사람들이다. 이 시장은 레드오션에 비해 경쟁이 덜하고, 장기적인 전략으로 접근할 수 있는 고객층을 포함하고 있었다.

블루오션 시장의 발견과 접근법

이 시장에서 고객들은 당장 집을 팔거나 사려는 의도가 없고, 그로 인해 대부분의 중개사들이 무시하거나 찬밥 신세로 여겼다. 고객들은 "지금 당장 거래하지 않으니 나중에 다시 오라"는 말을 들었고, 중개사들 역시 그런 고객을 시간 낭비로 여겼다. 하지만 이 고객들은 시간이 지나면 결국 거래를 할 수밖에 없는 사람들이었다.

그래서 나는 이 시장에 집중하기로 결심했다. 내가 선택한 무기는 상담이었다. 고객들이 당장 거래하지 않더라도, 장기적인 상담을 통해 그들과 관계를 맺는 것이 내 전략의 핵심이었다. 고객들이 레드오션으로 들어가기 전에, 그들이 필요한 모든 정보와 계획을 함께 세워주며 신뢰를 쌓아 나갔다. 네이버 카페를 통해 고객들이 궁금해하는 질문에 답하고, 그들의 미래 계획을 함께 세워주었다.

이 상담을 통해 고객들과 긴밀한 관계를 맺을 수 있었고, 그들이 거래할 시점이 되었을 때, 이미 나와 상담을 진행한 고객들은 별다른 고민 없이 나를 선택했다. 내가 그동안 그들과 쌓아온 신뢰 덕분이었다. 이 고객들은 내가 제시한 물건만 맞으면 계약이 바로 이루어졌다.

블루오션 고객들이 원하는 것은 전문가와의 계획이다. 그들은 자신들의 미래 계획을 세우는 과정에서 나에게 많은 것을 의지했다. 고객이 이동을 계획하고, 그 시점이 가까워지면 나는 고객과 함께 구체적인 액션을 세웠다. 그리고 그때가 되면 손쉽게 계약을 할 수 있었다. 상담을 통해 고객의 계획을 미리 알고 있었기 때문에, 계약의 성사는 이미 상담 단계에서 이루어진 것이나 다름없었다.

내가 직원들에게도 이 과정을 설명했을 때, 그들은 처음에 이해하지 못했다. 어떻게 10억이 넘는 집을 한 번 보여주고 계약을 할 수 있느냐고 물었지만, 그들은 상담의 중요성을 몰랐다.

하지만 나는 이미 거래 준비가 완료된 고객과의 계약이었기 때문에, 보여주는 물건만 맞으면 계약이 쉽게 이루어졌다. 이 모든 과정은 상담에서 신뢰 관계가 형성되었기 때문에 가능했다.

고객들이 필요로 하는 정보를 미리 준비하고 제공했다. 실거래가 정보나 부동산 동향 같은 것들을 고객에게 일방적으로 제공하면서 그들이 나를 통해 필요한 정보를 모두 얻을 수 있도록 만들었다.

그렇게 되면 고객들은 다른 곳을 찾을 필요가 없었다. 고객의 미래 거래를 준비하면서 나의 전문성과 신뢰를 쌓았고, 그 결과는 계약으로 이어졌다.

유입->전환 마케팅 퍼널설계

유입을 극대화하는 퍼널 설계

퍼널은 고객이 나에게 처음 접촉한 순간부터 계약이 성사될 때까지의 전 과정을 관리하는 시스템이다. 퍼널 설계는 사업 운영에서 매우 중요하다. 고객이 블로그나 유튜브, 광고 등을 통해 내 비즈니스에 접촉했을 때, 그 고객이 어디로 이동하고 어떻게 관리되는지를 체계적으로 운영해야 한다.

초기에는 단순히 많은 고객을 유입시키는 데만 신경을 썼지만, 결국 중요한 것은 고객을 계약으로 이끄는 체계적인 시스템이 있었다. 퍼널을 설계할 때 중요한 것은 고객이 유입된 후 어떤 경로로 이동하게 될지, 그리고 그 과정에서 어떤 콘텐츠와 정보를 제공할 것인지였다.

나는 주로 블로그, 카카오 채널, 오픈 채팅방과 같은 다양한 콘텐츠를 활용했다. 예를 들어, 블로그에서 고객이 관심을 가질 만한 주제에 대해 글을 작성하고, 그 글을 읽은 고객들이 오픈 채팅방에 입장하거나 카카오 채널을 통해 퍼널로 유입되도록 했다. 이렇게 다양한 콘텐츠가 체계적으로 연계되면, 고객은 자연스럽게 내 시스템 안으로 들어오게 된다.

퍼널의 목표는 고객과의 지속적인 관계를 만드는 것이다. 단순히 한 번 방문하고 떠나게 하지 않고, 그들이 나와의 관계를 계속 유지하도록 하는 것이다. 이를 위해서는 미리 준비된 콘텐츠가 고객을 맞이해야 한다. 블로그 글을 작성하고, 그 글에서 오픈 채팅방을 소개하거나, 상담 예약을 유도하는 식으로 체계적인 경로를 제공해야 한다. 이러한 과정을 통해 고객과의 관계가 단기적인 유입으로 끝나지 않고, 장기적인 관계로 이어질 수 있었다.

트래픽 관리와 타겟 공략

퍼널을 잘 운영하기 위해서는 트래픽을 확보하는 것이 필수적이다. 내가 사용하는 트래픽 관리 전략 중 하나는 유료 광고와 퍼널 관리의 결합이었다. 블로그와 문자메시지를 통한 자연 유입도 있었지만, 나는 빠르게 타깃 고객을 모으기 위해 광고비를 투자하기도 했다.

광고비를 어디에 투자할지 결정할 때, 가장 중요한 것은 내 타깃 고객이 어디에 있는가를 파악하는 것이다. 예를 들어, 내가 주로 타깃 하는 고객이 부동산 대형 카페나 특정 SNS에서 활동하고 있다면, 그곳에 광고를 집행하는 것이 가장 효과적이었다. 블로그나 유튜브를 성장시키는 과정은 시간이 걸리지만, 광고는 즉각적인 트래픽을 끌어올 수 있다.

광고를 통해 확보된 트래픽은 그저 방문자 수를 올리는 데 그치지 않고, 퍼널을 통해 지속적으로 관리될 수 있었다. 고객이 유입된 후 그들에게 맞춤형 콘텐츠와 정보를 제공하여 장기적으로 관계를 맺게 만드는 것이 목표였다.

콘텐츠 제작의 중요성과 효율적인 방법

콘텐츠 제작에서 많은 사람들이 겪는 어려움 중 하나는 시간 관리다. 블로그 글을 작성하는 데 몇 시간이 걸리거나, 유튜브 영상을 편집하는 데 며칠이 걸리기도 한다. 하지만 중요한 것은 콘텐츠를 계속 생산해 나가야만 고객 유입이 지속된다는 것이다. 여기서 많은 사람들이 포기하는 경우가 많다. 시간이 오래 걸린다고 해서 콘텐츠 제작을 멈춘다면, 결국 트래픽이 줄어들게 된다.

나는 콘텐츠를 제작하는 데 있어 AI 도구를 활용했다. AI는 콘텐츠 제작 과정을 자동화하거나 시간을 단축시킬 수 있는 매우 강력한 도구다. 예를 들어, AI를 통해 기본적인 아이디어나 초안을 생성하고, 그 초안을 바탕으로 내가 수정하고 보완하는 식으로 글을 완성했다. 이를 통해 블로그 글을 작성하는 시간이 대폭 줄어들었고, 효율적으로 콘텐츠를 만들어낼 수 있었다.

유튜브 영상 제작에서도 AI는 매우 유용했다. AI를 활용한 자동 편집 도구는 내가 직접 모든 편집 작업을 할 필요 없이, 기본적인 편집을 AI가 해주었고, 나는 필요한 부분만 수정하여 영상을 빠르게 완성할 수 있었다. 이런 방식으로 콘텐츠 제작 시간을 단축하면서도, 질 높은 콘텐츠를 꾸준히 제공할 수 있었다.

AI와 자동화의 시대

AI의 활용으로 시간을 절약하다

현대 마케팅에서 중요한 것은 시간 관리다. 특히 공인중개사와 같은 작은 조직에서는, 한 사람당 처리해야 할 업무가 매우 많기 때문에, 시간을 절약하는 것이 곧 성과를 높이는 것으로 이어진다. 하지만 마케팅 콘텐츠를 제작하는 데 많은 시간이 소요되는 것이 현실이다. 블로그 글을 작성하는 데 3시간 이상이 걸리거나, 유튜브 영상을 촬영하고 편집하는 데에 며칠이 걸리는 경우도 많다.

이럴 때 중요한 것은 AI의 도움을 받는 것이다. 지금의 시대는 AI 도구가 콘텐츠 제작의 모든 과정을 자동화할 수 있는 시대다. AI는 단순한 자동화 도구가 아니라, 나의 시간을 극대화하고, 효율성을 높여주는 도구였다.

먼저 블로그 글쓰기에서 AI를 활용하는 방법이다. 나는 많은 콘텐츠를 제작할 때, 기본적인 글의 뼈대나 아이디어를 AI를 통해 얻었다. AI는 다양한 주제를 빠르게 검색하고, 내가 중요하게 다루고 싶은 내용을 초안 형태로 만들어주었다. 내가 그 초안을 바탕으로 내용을 수정하고 보완하면, 글 쓰는 시간이 대폭 줄어들었다.

두 번째는 영상 콘텐츠에서 AI를 활용하는 방법이다. AI는 영상 편집 도구로도 매우 유용했다. 내가 촬영한 영상을 AI로 자동 편집하게 만들었고, 필요한 부분만 간단하게 손질하면 콘텐츠가 완성되었다. 시간을 줄일 수 있는 가장 강력한 도구는 바로 AI였고, 이를 통해 나는 마케팅 업무에 더 많은 시간을 투자할 수 있었다.

< AI 사이트 추천 >

" 유튜브 영상을 글로 변환시켜주는 릴리스 AI "

유튜브 주소를 복사해서 붙여넣기한다. 블로그 글을 누르게 되면 텍스트로 영상을 분석해 준다.

" 블로그 글을 쉽게 작성해 주는 AI 사이트 가제트 AI "

이제는 내가 기획하는 게 아닌 AI가 글을 작성해 준다.

이제는 클릭만으로 블로그 글을 작성할 수 있다. AI를 사용하면 우려하는 사항이 있다. 혹시 저품질 걸리는 건 아닌지? AI도 유사 문서를 피해서 발행할 수 있는 방법이 있다. 블로그 무료 강의를 신청하면 더 많은 정보와 유사 문서를 피하는 방법을 공개하고 있다. 이제는 AI가 글뿐만 아니라 영상도 만들어 주는 시대다. 유튜브를 하게 되면
기획 촬영 편집 업로드의 순서로 진행하게 되는데 이제는 AI가 기획 촬영 편집까지 진출했다. 업로드(썸네일)만 결정하면 된다.

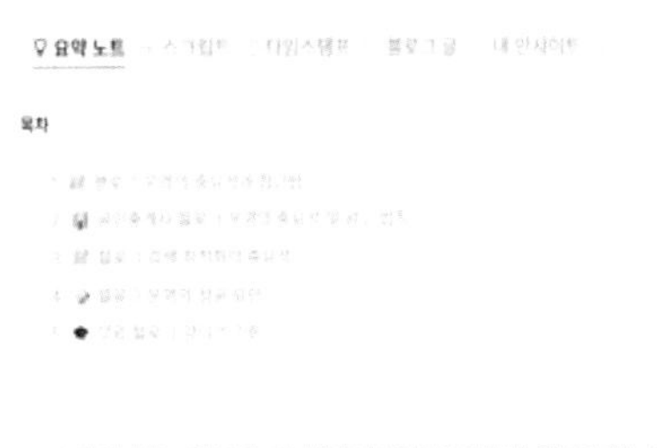
note_10월30일23시57분
요약 노트
목차
이 영상은 블로그 운영의 중요성과 특히 공인중개사가 블로그를 활용해야 하는 이유에 대해 상세히 설명합니다. 블로그를 통해 마케팅을 먼저 배우고 실무를 익히면서 손님을 맞이하는 것이 중요하다는 점을 강조하며, 블로그 주제와 글쓰기 방식의 일치를 통해 랭킹을 높일 수 있다고 말합니다. 무료 강의 링크를 제공하며, 블로그 운영의 효과를 직접 느껴보기를 권장합니다. 결국, 블로그 운영은 단순한 기록이 아니라 마케팅 도구로서 **사업의 성공**에 큰 영향을 미치게 됩니다.

C-RANK : [0 / 100]
D.I.A : [0 / 100]
공인중개사
이러니 망하지
다음에서 보기: YouTube

< 릴리스 AI >

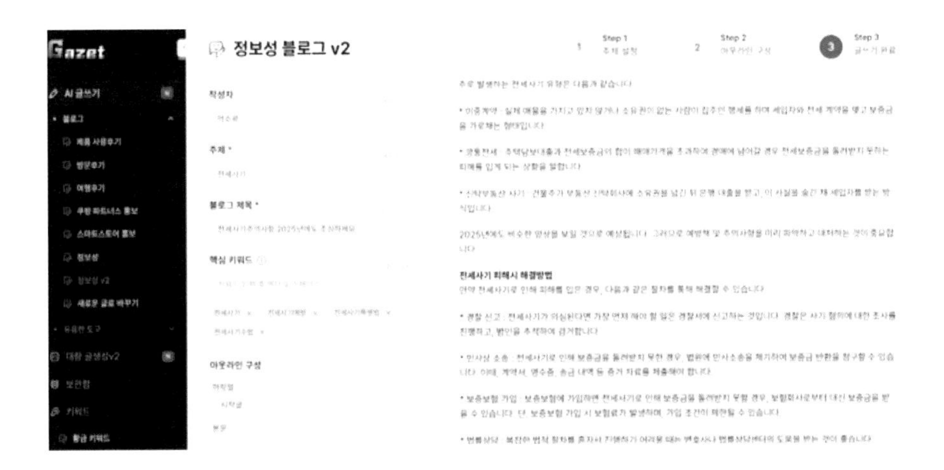
Gazet
정보성 블로그 v2
AI 글쓰기
블로그
작성자
주제 *
블로그 제목 *
핵심 키워드
아웃라인 구성
Step 1
Step 2
Step 3
전세사기 피해시 해결방법

< 가제트 AI >

7장

장사에서 사업으로

채용공고에서 나를 세일즈하다

사업이 확장되면서 직원을 채용하고, 그들과 함께 일하기 시작했다. 직원들이 고객을 응대하는 과정에서 나와 똑같은 문제 해결 능력을 가지도록 훈련시키는 것이 중요했다. 고객과의 상담에서 의심을 받지 않도록 하고, 그들의 불안을 해소할 수 있는 방법을 교육했다.

직원들에게 가르친 것 중 하나는, 돈 받기 전에 해결되지 않은 건 돈 받으면 더 해결이 안 된다. 쉽게 돈 받지 마라였다. 계약 과정에서 발생하는 변동 사항을 제대로 관리하지 못하는 경우가 많았다.

그래서 나는 항상 특약 사항을 큰 틀에서 미리 제시하고, 고객과 협의할 때 세부 사항만 조정하는 방식으로 진행했다. 이렇게 하면 고객은 계약 과정에서 더 안정감을 느끼고, 내가 철저하게 준비되어 있다는 인식을 가질 수 있었다.

이런 교육을 받은 직원들은 고객과의 계약 과정에서 더 능숙하게 문제를 처리할 수 있었다. 단순한 중개 업무가 아니라, 문제를 해결할 수 있는 능력을 갖춘 직원이 되도록 훈련했다. 이로 인해 고객과의 신뢰는 더욱 높아졌고, 전환율 또한 자연스럽게 증가했다.

상담 이후의 지속적인 관리를 진행하였다. 고객과의 상담은 계약으로 이어지는 첫 번째 단계일 뿐이다. 하지만 중요한 것은 상담 이후에도 고객과 지속적으로 관계를 유지하는 것이다. 많은 중개사들이 첫 상담 이후 고객에게 더 이상 연락하지 않는 경우가 많다. 고객은 상담 후에 더 많은 정보를 필요로 하지만, 중개사는 그 순간을 기회로 잡지 못하고 놓치게 된다.

채용 공고에서 나를 세일즈 하다

사업이 커지면서 나는 직원 채용을 자주 해야 했다. 채용 공고를 작성할 때도, 단순히 근무 조건만 나열하는 것이 아니라, 마치 고객에게 세일즈 하듯이 나의 사업과 가치를 설명해야 한다는 것을 깨달았다. 채용 공고는 나와 함께 일할 사람들에게 나의 비전과 문화를 전달하는 첫 번째 접점이었다.

나는 공고문에 단순히 근무 조건과 업무 내용을 나열하는 대신, 우리 회사의 성장 가능성과 비전을 담았다.

내가 실제로 사용한 채용 공고를 요약해 보았다. 실제 글은 단순한 근무 조건을 넘어, 회사의 문화와 비전을 담아 작성하였다.

억수르 부동산 채용공고

안녕하세요, 억수르 부동산입니다. 2023년 중개거래액 160억을 돌파하였으며, 전 직원 30대로 젊은 분위기입니다. 아파트 & 상가 전문으로 운영 중입니다.
네이버 부동산 인플루언서로 활동하고 있으며, 마케터 출신으로 온라인 마케팅이 주 무기입니다. 저희는 물건 작업을 온라인으로 합니다. 이 글을 보신다면 이런 의구심이 들 겁니다.

- 아무것도 안 알려주는 거 아니야?
- 강압적이지 않을까?
- 너는 너 나는 나, 이런 분위기 아닐까?
- 오래된 복덕방 분위기 아닐까?

이런 걱정은 안 하셔도 됩니다.

억수르 부동산은 Giver 마인드입니다. 모든 지식은 체계적으로 알려드립니다. 같이 근무하는 직원분들도 회사의 문화인 Giver 마인드를 장착하고 있습니다.

중개 실무와 마케팅을 가져가셔야 합니다. 다만, 이기적인 마인드는 같이 일하기 힘듭니다. 회사의 확장과 직원 모두 성장을 목표로 원팀으로 일을 하고 있습니다.
(이하 생략)

억수르 부동산 채용 공고는 빠른 시간에 종료됩니다. 이 글이 노출될 때 지원해 주세요.

근무지: 서울시 양천구 신정동 래미안목동아델리체 단지 내 상가
채용 분야: 아파트, 상가

- 광고비 100% 지원
- 식비 지원
- 경력자 우대
- 비율제로 진행됩니다.
- 주 5일 근무입니다.
- 이력서 접수: 109199@naver.com
- 010.0000.0000 접수 후 문자 주세요.

이처럼, 나는 채용 공고에서도 스토리텔링을 활용하여, 나와 성향이 맞는 사람들을 채용하는 데 중점을 두었다. 공고문에서 단순히 업무 조건을 나열하는 대신, 우리 회사의 문화와 가치를 전달함으로써, 가치관이 맞는 사람들을 자연스럽게 끌어들일 수 있었다.

스토리텔링을 통한 직원의 성장

채용 과정에서 중요한 것은 성의 없는 지원서는 철저히 배제하는 것이다. 나는 지원서만 보더라도 지원자의 성향을 파악할 수 있었고, 그들이 나의 가치관과 맞는지 판단할 수 있었다. 그 덕분에, 나는 적합한 직원을 채용할 수 있었고, 이들은 나와 함께 회사의 성장을 이끌어가는 핵심 자산이 되었다.

나와 성향이 맞는 직원들을 채용하는 것이 사업에서 얼마나 중요한지, 나는 여러 번 체감했다. 직원들의 성향과 가치관이 맞지 않으면, 그들은 회사와 오래 함께 할 수 없었고, 결국 사업에 부정적인 영향을 끼쳤다.

나는 채용 공고에 스토리텔링을 녹여내고, 이를 통해 나와 같은 방향을 바라보는 사람들만을 채용했다. 이 과정에서 직원들이 회사에서 성장할 수 있는 기회를 제공하고, 그들이 회사의 가치관과 문화에 잘 맞게 성장해 나갈 수 있도록 지원했다.

위임을 시작하라

사업 확장을 위한 필수 전략: 위임

사업이 성장하고, 매출이 늘어나기 시작하면, 어느 시점에서 위임이 필수적이라는 걸 깨닫게 된다. 처음에는 모든 일을 내가 직접 처리하면서 사업을 키워 나가지만, 어느 정도 궤도에 오르면 혼자서는 감당할 수 없는 순간이 온다.

그때 필요한 것이 바로 위임이다. 하지만 위임은 단순히 일을 넘기는 게 아니다. 위임의 첫 단계는 직원에게도 돈이 되는 열매를 주는 것이다.
중개업에서는 돈이 되는 핵심 업무를 내가 하고, 익숙하지 않은 영역을 직원에게 넘기면 안 된다. 내가 아파트를 중개하면서 상가에 대해 잘 모르는 상태에서, 상가 업무를 직원에게 맡긴다면 위임 과정에서 깨지게 된다.

그러면 직원도 성과를 내지 못하고, 나도 실패하게 된다. 돈 되는 일을 직원에게 맡겨야 한다. 나도 처음엔 아파트 중개를 하면서 상가에 대한 공부를 시작했다. 상가에서 돈을 벌기 시작했을 때, 비로소 상가 업무를 전부 위임했다. 그리고 회사 물건을 전부 공유하기 시작했다.

위임의 핵심: 관리와 코칭

위임을 했다고 끝나는 게 아니다. 위임 이후에는 관리가 따라야 한다. 직원들이 제대로 성장할 수 있도록, 그들이 중개 과정에서 겪는 문제에 대해 코칭하고, 돈으로 연결되는 클로징에 집중해야 한다. 직원이 결과를 낼 수 있어야 내가 돈을 버는 구조다.

우리 회사 직원들은 대부분 경력직이 아니었다. 첫 채용한 4명의 직원은 모두 첫 중개업에 도전하는 사람들이었다. 첫 계약에 대한 갈증을 느낄 수밖에 없었다. 나도 개업 초기에 첫 계약의 어려움을 겪었기 때문에, 직원들이 느끼는 심리적 압박을 누구보다 잘 알았다.

위임을 통해 직원들이 성공의 경험을 쌓을 수 있도록 해야 한다. 첫 계약이 나올 때까지는 계속해서 코칭하고, 그들이 스스로 성과를 내도록 성장을 돕는 것이 중요하다. 내가 직원들을 믿고 위임했을 때, 그들이 결과를 내기 시작하면서 나의 사업도 확장될 수 있었다.

위임의 3가지 요소: 교육, 관리, 기버(Giver)

위임을 성공적으로 하기 위해서는 3가지 요소가 중요하다
: 교육, 관리, 그리고 기버(Giver) 마인드다.

교육 없이 위임만 하면 성과가 나오기 어렵고, 관리 없이 방치하면 직원들이 성장할 수 없다. 또한, 기버 마인드를 바탕으로 직원들과 동반성장을 목표로 하지 않으면, 위임이 실패로 끝날 가능성이 크다.

위임은 단순히 일을 나누는 게 아니라, 직원이 스스로 성장하면서 돈을 벌고, 나 역시 사업을 확장하는 방향으로 가야 한다. 내가 직접 모든 일을 처리하던 시절과는 사고방식이 완전히 달라졌다. 이제는 직원의 성장이 나의 성장이 되고, 그들이 성과를 낼 수 있도록 돕는 것이 사업 확장의 핵심 전략이다.

위임을 통해 사업의 리스크를 줄이다

위임이 중요한 또 다른 이유는, 리스크 관리 때문이다. 사업이 나에게만 의존하는 구조라면, 내가 아프거나 부재 중일 때 매출이 나오지 않게 된다. 하지만 위임을 통해 시스템이 돌아가게 되면, 내가 자리를 비우더라도 사업이 안정적으로 운영될 수 있다.

위임의 중요성은 여기서도 드러난다. 처음에는 모든 걸 내가 직접 해야 돈이 된다고 생각했지만, 이제는 위임을 통해서도 사업이 돌아가게끔 사고방식이 바뀌었다.

위임은 사업 확장을 위한 필수 요소일 뿐만 아니라, 사업 리스크를 줄이는 방법이기도 하다. 사업이 안정적으로 성장하려면, 교육과 관리, 그리고 기버 마인드를 바탕으로 한 위임 시스템이 필요하다.

8장

중개의 심리학

매도인과 매수인의 심리

중개업에서 매도인과 매수인의 심리를 잘 읽는 것은 매우 중요하다. 내가 직원들에게 중개 실무를 교육할 때, 자주 받는 질문 중 하나는 "매도인은 비싸게 팔고 싶어 하고, 매수인은 싸게 사고 싶어 하는데, 어떻게 조율해야 하나요?"라는 것이다.

매도인은 자신의 부동산을 최대한 높은 가격에 판매하거나, 임대 시 최적의 수익을 얻고자 한다. 하지만 모든 매도인이 최대 금액만을 원하지는 않는다. 많은 경우, 매도인은 상급지로 이동하려는 목적을 가지고 있다.

이럴 때, 중개사의 역할은 매도인에게 이동 시점이 중요하다는 것을 상기시키는 것이다. 부동산 시장은 상황이 급변할 수 있기 때문에, 매도인이 작은 차익에 집착하다가 상급지 이동이 무산될 수 있다는 점을 인식시켜야 한다.

예를 들어,

서울에서 중개를 하다 보면, 상급지로 이동을 우선으로 하는 매도인을 많이 만나게 된다. 이럴 때, 매도인에게 1~2천만 원 더 받는 것이 중요할지, 아니면 상급지로 신속하게 이동하는 것이 더 중요할지를 설득해야 한다. 이때 중요한 것은 매도인이 현재 급매를 잡을 기회를 놓치지 않도록 돕는 것이다.

매수인도 마찬가지다.

매수인이 단순히 가장 저렴한 매물만 찾는 것이 아니라, 미래에 다시 매도했을 때 우위를 점할 수 있는 매물을 원할 수 있다. 매수인의 우선순위를 정확하게 파악하는 것이 중개사의 핵심 역할이다.
매수인이 단지 금액만 고려하는 것인지, 아니면 장기적으로 가치 상승 가능성이 있는 매물을 원하는지에 따라 중개 전략도 달라져야 한다.

손님과의 심리전과 신뢰 구축

공동중개를 진행할 때도 심리적 대응이 중요하다. 가끔 내가 보유한 물건을 다른 부동산에서 공동중개 요청을 할 때, 우리 손님과 조건이 겹친다는 느낌을 받을 때가 있다. 이런 상황에서는 양쪽 손님에게 확인이 필요하다. 이 과정에서 고객의 신뢰를 잃지 않도록 신중하게 접근해야 한다.

실제로 나는 공동중개 요청이 들어왔을 때, 고객에게 먼저 연락해 상황을 설명하는 방식을 사용했다. 아래는 내가 실제로 사용한 멘트의 예시다.

“안녕하세요, 억수르 부동산입니다. 사장님, 혹시 다른 부동산에도 전화하셨나요? 제가 물건을 여러 개 보유하고 있다 보니, 다른 부동산에서 공동중개 요청이 계속 들어오더라고요. 이번에는 특히 고객님의 조건과 너무 비슷해서, 혹시나 겹치는 손님일까 봐 이렇게 전화드렸습니다.”

이 멘트는 두 가지 중요한 효과를 낸다. 첫째, 내가 많은 물건을 보유하고 있다는 것을 고객에게 알리면서, 그들이 나를 신뢰하게 만든다. 둘째, 고객에게 솔직하게 상황을 설명하여, 그들이 나를 믿고 맡길 수 있도록 만든다.

만약 고객이 다른 부동산에도 연락을 했다고 인정하면, 나는 절대 실망한 티를 내지 않는다. 오히려 고객의 입장을 공감하고, 그들이 처한 상황을 이해하는 모습을 보인다.

“고객님 마음 충분히 이해합니다. 저도 그랬습니다. 금액이 중요하다 보니, 급한 마음에 여러 부동산에 알아보는 건 당연한 일입니다. 하지만 고객님이 반대로 매도인이라면, 여러 부동산에서 전화가 왔을 때 가격 협상을 쉽게 하지 않으시겠죠?

여러 부동산에서 접근하면 오히려 가격 조절이 더 어려워집니다. 제 특기가 급매 만들기입니다. 현재 실거래가 기준 최저가도 저희 부동산에서 진행했습니다. 제가 고객님의 입장에서 최선을 다해 금액을 맞출 수 있도록, 이제 저를 믿고 맡겨주십시오.”

경쟁심리를 자극하는 멘트도 있다. 만약 고객이 다른 부동산에 연락하지 않았다고 한다면, 나는 이번에는 경쟁심리를 자극했다. 고객이 결정을 서두르도록 하는 것이 목표였다.

"아, 그렇군요! 요즘 손님들이 여기저기 알아보는 경우가 많아서 그런 줄 알았습니다. 그런데 손님이 계속 돌고 있는 것 같습니다. 이렇게 경쟁이 붙으면 매물이 빠르게 거래될 수 있으니, 좋은 기회를 놓치지 않도록 제가 최선을 다해 진행하겠습니다."

이 멘트는 고객이 지금 결정하지 않으면 기회를 놓칠 수 있다는 인식을 심어준다. 동시에 고객은 내가 상황을 정확하게 파악하고 있다는 신뢰를 느끼게 된다.

내가 이런 멘트와 전략을 직접 사용하면서, 이를 직원 교육에도 활용했다. 직원들이 실무에서 고객과 어떻게 소통해야 하는지, 그들에게 신뢰를 쌓고 경쟁심리를 자극하는 방법을 가르쳤다. 첫 계약을 위해서는 단순한 거래보다 심리적인 요소를 이해하는 것이 필수적이다.

공동중개든 단독 중개든, 고객과의 신뢰를 잃지 않고 협상력을 유지하는 것이 성공적인 중개의 핵심이다. 직원들에게 이러한 전략을 교육함으로써, 그들이 실무에서 성공적인 결과를 낼 수 있도록 도왔다.

공동중개, 심리전과 그 과정

개업 초기 공동중개 요령

공동중개를 하게 되는 순간은 나에게 매물이 없을 때다. 다른 부동산 매물을 통해 내 손님과 같이 공동으로 중개를 하기 위해 연락을 하게 된다. 네이버 부동산 매물을 보면 내 손님에 맞는 최적의 물건들이 있다. 물건을 클릭하면 물건을 보유한 부동산 연락처가 나오는데 해당 번호로 전화를 건다.

내가 공동중개 요청을 받으면서 초보 시절에 공동중개의 실수를 알게 되었다. 나는 당연히 전화를 걸면 공동중개를 받아줄 거라 생각했다. 하지만 공동중개도 예의가 있다. 당연하다는 듯한 뉘앙스로 요청을 하거나 예의에 어긋난 행위를 한다면 공동중개 거절을 당하게 될 것이다.

나는 이런 멘트로 전화를 걸었다.

“사장님 안녕하세요 양천구 신정네거리역에 위치한 억수르 부동산입니다. 다름이 아니라 사장님이 네이버 부동산에 올려두신 104동 고층 10억 매물 보고 연락드렸는데 해당 매물 공동중개 가능한가요?”

가능하다고 하면 이제 내 손님에 대한 브리핑이 필요하다.

"저희 손님은 언제 입주가 가능하고 신혼부부입니다. 애완동물은 키우지 않고 해당 물건에 관심이 많습니다. 매물 보는 시간은 주말 2시경이 편하다고 하는데 시간이 안 맞으면 최대한 맞추겠습니다."

위와 같은 멘트를 사용한다. 상대 부동산도 내 손님에 대한 정보가 있어야 의뢰인에게 이야기하기 좋다. 방문 시간도 미리 알려줘야 번거롭지 않게 일을 할 수 있다.

만약 매수자라면 집이 팔렸는지도 알려줘야 한다. 즉 내 손님에 대한 정보를 파악하는 건 기본 업무가 되는 것이다. 추가로 사장님이 보유하신 매물 중에 비슷한 조건의 매물이 더 있는지 체크해야 된다. 매물을 하나만 보고 계약하는 건 드문 일이다.

무조건 많은 매물을 보여주는 건 손님도 힘들어한다. 5개부터는 서로 지친다. 내가 손님지의 역할을 한다면 매물에 대한 브리핑은 물건지 부동산 사장님께 전적으로 맡기는 것이 좋다. 내가 잘 안다고 해도 침범하는 오류를 범하지 말고 매물을 다 본 다음에 손님과 따로 이야기를 나누는 게 좋다.

매물을 보고 손님의 반응까지 체크했다면 물건지 부동산에 피드백을 해야 한다. 특히나 인근 부동산이라면 더욱 신경 써야 한다. 공동중개를 한다는 건 나에 대한 평가도 같이 들어간다. 공동중개가 한 번만 하는 게 아니다. 좋은 인상을 남겨야 다음이 있다. 공동중개만 잘해도 나의 아군을 만들 수 있다.

계약까지 성사된다면 진정한 아군을 만들 수 있다. 계약 과정에서도 우리 쪽만 생각하면 안 된다. 공동중개를 진행할 때는 독단적인 결정을 하게 되면 상대 부동산에서 난감하게 되는 경우가 생긴다. 계약 문구나 일정 등 모든 협의는 상대 부동산 사장님과 협의 후 양 당사자에게 전달하는 방향으로 가야 된다.

진정한 아군을 만들려면 계약 이후까지 팀워크가 맞아야 되고, 더 나아가 상대 부동산 사장님이 나와 계약하는 걸 편안하게 느끼게 해주는 게 중요하다. 특히 내가 물건지 입장이 되었을때는 나를 어필하기 좋다. 나의 계약 과정에 대한 만족도를 주어야 한다.

공동 중개를 진행할 때는 해당 물건을 서칭하고 고객이 원하는 조건에 맞는 매물을 정리한다. 금액 동 층 방향 옵션 사항 입주 가능일과 부동산 상호명, 연락처를 정리하고 전화하는 것이 좋다. 매물 보고 바로 전화하게 되면 다른 매물에 동일한 사장님에게 또 전화가 가게 된다. 민망한 상황이 발생되지 않게 정리를 하고 한 번에 통화한다. 그리고 해당 내역을 고객에게 미팅 전 문자로 보내주면 된다.

동일 매물을 여러 군데 보유하고 있다면 매물을 많이 보유한 부동산에 전화를 하고 해당 매물에서 멀리 위치한 부동산보다는 인근 부동산에 전화하는 것이 좋다.

매물 관리가 핵심이기에 층 노출이 안 되어있는 경우가 많다. 저 중 고로 표시가 되어있으면 조심스럽게 층을 물어보고 만약 알려주지 않더라도 상처받지 말아야 한다.

매물 번호는 모자이크 처리가 되어있으나 공동중개 요청 시 물건지 부동산에서 매물 번호를 불러달라고 하는 경우도 있다. 특히 상가의 경우 매물이 몇 백 개씩 넘어가므로 매물 번호를 요청하면 하단 번호를 알려주면 된다.

고객에게 보여줄 매물이 확보되었다면 시간 약속을 잡아야 한다. 매물 하나당 10분 정도의 간격으로 잡게 되면 딜레이 되는 경우가 있다. 모두 내 매물을 보여줄 때는 괜찮지만 공동중개 매물도 섞여있다면 넉넉히 30분 정도로 잡으면 된다.

교통비 발생

간혹 물건지 부동산에 전화를 했는데 중간다리 역할을 하는 중개사분을 만나게 된다. 물건지 부동산에서 물건을 받아 광고를 하고 있는 경우다. 이럴 때는 두 가지 경우가 있다. 물건지 부동산에서는 손님에 대한 수수료를 받고 교통하는 부동산과 손님지 부동산이 수수료를 반씩 나눠 갖는다. 또 다른 경우는 전체 금액을 3분의 1로 나누는 경우다. 정해진 건 없지만 교통으로 진행시 이 부분을 명확히 확인하고 진행하는 것이 좋다.

누구나 1인 운영으로 시작한다.

혼자 운영하면서 하나씩 체계를 잡아가는 재미를 느꼈다. 모르는 게 많아도 티를 내지 않으면 아무도 몰랐기에 창피함도 없었다. 사무실에 집기도 넣고 소품도 꾸미면서 내 사무실에 애정이 생기기 시작했다. 부족한 부분들은 유튜브와 책을 보면서 지식을 채우고 근무시간도 내 마음대로였다. 모든 게 내 세상처럼 시간을 보냈다. 누가 봐도 부동산 느낌이 나는 사무실로 세팅이 되었다.

어느 정도 큰 틀이 잡히니 문의를 늘리기 위한 마케팅 고민이 시작되었다. 마케팅에 자신이 있었지만 큰 산이 등장했다. 중개업에서는 어떤 전략으로 해야 될지 도통 감이 없었다. 마케팅은 타깃에 따라 전략이 다르다. 그리고 후회가 밀려왔다. 음식점 창업을 하는 사람이 오픈하고 음식점 안에서 요리 공부를 하고 있는 것과 같았다.

다른 업종은 오픈전부터 마케팅을 하는데 유독 중개업은 왜 그러지 않을까라는 생각이 들었다. 컴퓨터 의자와 같은 1차 상품을 판매한다면 당장의 수익이라 마케팅에 투자를 한다. 중개업은 방문을 시켜도 세일즈와 협상을 통해 계약을 체결해야 수익이 된다. 한 단계 퍼널이 더 있다.

그렇다면 마케팅을 더 체계적으로 해야 된다. 단계별로 10%로 가정해서 계산하면 내가 올린 광고를 100명이 보면 10명이 문의하고 1명이 계약하는 구조다.

타 업종은 마케팅을 통한 방문이 수익으로 연결이 되지만 우리는 마케팅을 통한 DB 확보의 목적으로 접근해야 된다. 당장의 수익이 아니니 대다수의 공인중개사는 마케팅이 효과 없다. 돈만 날렸다 하는 것이다.
마케팅 대행사도 방문이 돈으로 연결되는 업종은 성과에 대해 이야기하기 좋다. 중개업은 중개사가 수익으로 연결을 시켜야 된다. 운동도 식단까지 해야 효과 있는 것처럼 마케팅도 고객 관리까지 해야 효과가 있다.
1인으로 운영한다면 시스템 만드는 것을 우선적으로 해야 된다. 내가 움직이면 돌아가고 움직이지 않으면 돌아가지 않는 시스템이 대다수다. 고객을 만나고 미팅하는 일에 집중할 수 있도록 고객 관리 시스템을 간소화해야 된다.

마케팅을 한다면 SNS보다 광고를 먼저 해야 된다.

광고는 세팅이 어렵지만 한번 세팅하면 마케팅 비용만 계산하면 된다. 한 푼도 안 쓰는 마케팅으로 알고 있는 블로그와 유튜브는 내 시간과 에너지를 다 갉아먹는 마케팅이다. 광고를 먼저 세팅하고 시간이 남으면 SNS를 해야 된다.

나머지는 고객 만나는 것과 고객 관리에 집중해야 된다. 내가 말하는 광고는 네이버 부동산은 기본이고 네이버 마케팅, 메타 광고(페이스북, 인스타그램) 오프라인 홍보물이다.
대표는 사람에게 집중하고 모든 건 시스템화의 목적으로 접근해야 된다. SNS를 하더라도 AI를 활용하거나 챗 GPT를 활용해서 나의 시간을 최대한 보호해야 된다.

내부 시스템도 분산 시키지 말고 한곳으로 몰아야 한다. 1인일수록 일에 대한 기준을 잡아야 한다. 출근하면 가장 중요한 일을 먼저 처리해야 된다. 네이버 부동산에 나의 매물 상태를 점검해야 된다.
네이버 부동산에 올린 매물을 최신화하고 업로드까지 완료해야 된다. 그렇게 오전이 끝나면 오후에는 사람 상대에 집중하는 것이다. 연락할 리스트를 확인한다. 미팅 일정을 체크한다. 마케팅을 위한 업로드를 한다. 매물 확보를 위한 전략을 짠다.

9장

중개사로서의 삶

간이과세자에서 일반과세자로 전환

새로운 시작, 그리고 변화의 신호

아직도 그 순간이 생생하다. 세무서에서 사업자 등록증을 받고 사무실을 나오자마자 하늘에선 함박눈이 내리기 시작했다. 그날은 내게 행운의 날이자, 내 인생의 변화가 시작되는 날이기도 했다. 날짜는 2022년 2월 22일. 나에게는 행운의 숫자였다. 사업을 간이과세자로 시작하면서, 나는 세금에 대해 부족한 지식과 함께 부딪히게 되었다. 사업을 성장시키기 위해 어떤 어려움이라도 견뎌내야 한다고 마음을 다잡았다.

그 시기에 나는 중개사무소 개업을 준비 중이었다. 다행히 건물주는 2개월간 렌트 프리(임대료 면제) 혜택을 제공했기에 여유롭게 준비할 수 있었다. 하지만 시간이 지나자 불안해지기 시작했다. 주변에서는 "왜 아직도 준비 중이냐"라며 의아해했다. 사실 나는 오픈이 두려웠다. 스스로 준비가 되었다고 생각했지만 실제로 오픈을 준비하는 순간에는 심리적인 압박이 몰려왔다.

모든 것이 새로웠다. 텅 빈 사무실을 중개사무소로 만들어야 했고, 바닥부터 외부 디자인, 로고, 명함, 레이아웃까지 모두 내 손으로 결정해야 했다. 매일 공사가 진행될수록 되돌릴 수 없는 길을 걷고 있다는 생각이 점점 더 강해졌다.

< 간이과세자로서의 시작 >

초기에는 세무에 대해 아는 것이 거의 없었다.

"처음엔 간이과세자로 시작하는 것이 유리하다"

주변의 조언을 받아들여, 나 역시 간이과세자로 시작했다. 상업용 중개 대상물과 법인 고객이 많지 않으면 간이과세자가 좋다는 의견이었다.

"우리는 부가세 10%가 없습니다"

고객들에게 이렇게 절세 혜택을 설명하기도 했다. 그러나 세금에 무지했던 대가는 컸다. 간이과세자라고 해서 모든 세금이 사라지는 건 아니었다. 부가세는 없지만, 종합소득세와 인건비 등 다양한 세금이 그대로 청구되었다. 결국 세금에 대해 무지했던 내게 교육비처럼 느껴졌다.

< 일반과세자로 전환하며 >

간이과세자로 2년을 일하다 매출이 늘면서 자연스럽게 일반과세자로 전환되었다. 세금은 더 복잡해졌지만, 사업이 성장하고 있다는 증거로 받아들였다. 매출 한도가 상향되었다고 해도 이제 간이과세자 대상이 아니었다. 사업이 계속 확장되고 있다는 생각이 기뻤다. 이제는 더 큰 비즈니스를 운영할 준비가 되어 있었다.

성장과 도전의 3년

간이과세자로 시작한 내 중개업은 매년 변화하고 있었다. 개업 첫해엔 말 그대로 맨땅에 헤딩하는 느낌으로 하루하루를 보냈다. 2년 차엔 파트너와 함께 일하게 되었고, 3년 차엔 억수르 크루 공인중개사들이 나와 함께 성장해 나갔다. 팀으로서의 성장이 이루어지고 있었다.

내 기술을 직원들에게 장착시키고 나서 나는 새로운 도전으로 나아갔다. 아파트 중개 기술을 배우고 나서는 직원들에게 전수한 뒤 상가 중개에 도전했다. 상가 중개는 또 다른 세계였고, 직원들과 함께 새로운 기술을 배워가며 성장했다. 혼자서는 더 이상 성장할 수 없음을 깨달았다. 그래서 직원들과 함께 성장하여 모두가 돈을 벌 수 있는 구조를 만들기로 결심했다.

나는 더 큰 목표를 위해 끊임없이 달려가고 있다. 중개업에서 시작해 강의 사업으로 확장했고, 억수르 크루의 종합 마케팅 강의는 어느새 5기를 모집하고 있다. 블로그 강의로 출발해 지금은 경영마케팅 과정까지 진행 중이다.

블로그 강의는 500명이 넘는 중개사들과 함께했고, 경영마케팅 강의도 40명 이상이 참여 중이다. 중개업에 적용한 마케팅 시스템을 강의업에도 적용하면서 사업의 본질을 이해하게 되었다. 위임을 위한 체계적인 교육을 준비하고 있고, 다가올 2025년은 또 다른 도전을 맞이할 예정이다.

강의와 컨설팅, 중개업에서의 나

이제 나는 내 실력으로 평가받는 것이 아니라, 함께하는 사람들의 성과로 평가받고 있다. 나와 함께 성장하고 성공하는 이들의 성장이 바로 나의 브랜딩이다.

실력의 영역 vs 운의 영역

운만 좋으면 계약이 성사될까?

공인중개사를 시작하면, 종종 이런 말을 듣곤 한다. 운만 좋으면 가만히 있어도 계약이 된다"라는 말이다. 그러나 현실에서 그것이 얼마나 위험한 생각인지 창업 1년 차를 돌아보면서 절실히 깨달았다.

나도 처음에는 그런 생각을 했다.

"왜 나만 이렇게 운이 없지?"

"물건을 보여줬으면 당연히 계약으로 이어져야 하는 거 아닌가?"
하지만 내가 보유한 물건을 다른 부동산을 통해 계약하는 손님을 보면서 머릿속이 복잡해졌다. 나에게 온 손님은 왜 다른 곳에서 계약하는지, 1차원적인 생각으로는 이해할 수 없었다.

중개업은 운에 따라 좌우되는 직업이라고 생각하는 순간부터, 나는 더 이상 멘탈을 지킬 수 없었다. 스트레스는 쌓여가고, 마땅한 해소법도 찾지 못한 채 같은 실수를 반복했다. 누구에게 이야기할 사람도 없었다. 내가 선택한 사업이니 내가 모든 걸 해결해야 한다고 생각했다. 스트레스가 쌓이면 무너질 수밖에 없었다.

운은 만드는 것이다

하지만 시간이 지나면서 깨달았다. 운이란 것이 그냥 오는 게 아니라 만드는 것이다. 실력과 경험을 쌓으며, 고객과의 신뢰를 형성할 때, 운도 따라오는 것임을 알게 되었다. 내가 중개하는 아파트는 33평 기준으로 최저 12억 중후반에서 최고 17억 후반까지 실거래가가 형성되는 대장 아파트였다.

하지만 상가는 처음부터 지역을 넓혀서 시작했다. 그런데 점점 깨달았다. 지역 범위가 너무 넓으면 효과가 없다는 것을. 상가 중개에서 중요한 것은 집중이었다. 햇빛이 강해도 돋보기를 집중하지 않으면 불을 붙일 수 없는 것처럼, 상가 중개에서도 집중의 힘이 중요했다.

반면, 아파트 중개는 범위를 넓혀야 했다. 아파트는 상가와 달리 넓은 지역에서 많은 매물을 다뤄야 문의가 끊임없이 들어왔다. 그렇게 나의 2023년 중개 거래액은 160억에 달했다. 고객과의 계약이 성사된 경우도 많았지만, 그보다 계약으로 이어지지 않은 고객의 수도 많았다.

단순한 운인가, 아니면 실력인가?

중개업을 하다 보면 운이 좋다고 생각하는 순간이 있다. 예를 들어, 전세 사기 분위기가 악화될수록 빨리 매도하고 싶어 하는 매도자들이 많아져 문의가 끊임없이 들어왔다. 원투룸, 빌라는 광고조차 하지 않았는데도 손님이 계속해서 몰려왔다.

특히 20대 자녀를 둔 부모님들이 많이 연락을 주셨는데, 그들이 대부분 블로그를 통해 나를 찾아왔다는 사실을 알게 되었다. 이때 나는 더욱 확신했다. "운"이 아니라 "블로그 마케팅"과 "브랜딩"의 힘이 작용하고 있었다는 것을 늦게 알았다.

실제로 경험하면서 단순한 운이 아니라 실력의 영역이 있다는 것을 깨달았다. 예를 들어, 프랜차이즈 음식업을 계약했을 때의 경험이 있다.

당시 손님은 다른 지역에 거주하고 있었고, 인근 아파트 전세 계약까지 진행했다. 이때 나는 그 계약이 운이 좋았다고 생각했지만, 시간이 지나면서 그게 단순한 운이 아니었음을 알게 되었다.

그 손님은 네이버 부동산에 올린 광고를 보고 연락을 주었다. 그때 전화 너머로 들리는 자동차 경적 소리로 손님이 외부에 있었다는 사실을 알았고, 그 정보를 바탕으로 손님에게 매물 5개를 추천했다.
차 소리가 들렸다는 건 오늘 시간이 생겨서 물건 보러 나왔을 가능성이 크다고 생각했다. 매물 2개를 강조하면서 미팅을 성사시켰다. 사담을 통해 장거리에서 온 손님을 확인했고, 거주지는 옮기지 않는지 물어보았다. 장사를 하게 되면 인근 20분 거리로 원했고 미팅 자리에서 금액대까지 확인했다. 그렇게 상가 계약과 아파트 전세 계약까지 진행하게 되었다.

이때 배운 것은 고객의 상황을 파악하고 발 빠르게 대응하는 것이 운을 만들어가는 실력의 영역이라는 것이었다.

실력과 운은 어떻게 연결되는가?

많은 사람들은 집을 한 번 보여주고 계약서 쓰는 직업으로 중개업을 단순하게 생각한다. 하지만 현실은 그렇지 않다. 중개업은 다양한 업종과 다양한 고객을 상대해야 하며, 고객이 연락을 주었을 때 물건을 효과적으로 보여줄 준비가 되어 있어야 한다.

나는 그 손님과 도보로 25분을 걸으며 매물 4개를 보여주었다. 특히 나는 차 없이 도보로 승부를 보려고 했다. 그렇게 걸으면서 매물과 그 주변의 히스토리를 설명했다. 이 과정에서 스토리텔링의 힘을 다시 한번 느꼈다. 단순히 매물 정보를 제공하는 것이 아니라, 그 주변 상권의 변화와 과거의 거래 내역을 사실에 기반해 설명하면서 고객이 내 전문성을 인정하게 만들었다.

스토리텔링을 통한 세일즈

실력의 영역이 발휘되는 또 다른 사례는 스토리텔링 세일즈였다. 고객과 차로 이동하는 것이 빠른 미팅을 마치는 방법일 수 있지만, 도보로 이동하면서 스토리를 풀어나가는 것이 더 큰 효과를 낳았다.

내가 중개하는 지역의 상권에 대한 히스토리, 건물주의 특성, 과거의 권리금 거래 내역 등을 이야기하면서, 고객은 나를 전문가로 인식하기 시작했다.

"정말 다 알고 계시네요"
"이렇게 자세하게 설명해 주시는 분은 처음입니다"

라는 말을 들었을 때, 나는 이 과정이 실력의 영역임을 확신했다.

고객이 나를 신뢰하면 가격 협상 역시 자연스럽게 이루어졌다. 설명하지 않아도, 고객은 스스로 내가 제시한 권리금이 합리적인지 아닌지를 판단할 수 있었다. 고객은 항상 바쁘기 때문에 시간을 아끼고 싶어 한다. 그렇기에 짧은 시간 안에 전문성을 보여주고 신뢰를 쌓는 것이 중요했다.

계약은 실력의 마무리이다

계약 과정은 그저 종이 한 장 쓰는 과정이 아니다. 고객이 계약서를 쓰기까지는 세심한 설득과 배려가 필요하다. 특히 건물주(임대인) 입장에서 새로운 임차인을 신뢰할 수 있을지 고민할 수밖에 없다. 10년 동안 함께 할 수도 있는 임차인이기 때문에, 건물주는 월세 연체, 까다로운 성향 등 여러 가지를 걱정하게 된다.

이때 무턱대고 계약서 작성 날짜를 잡자고 하는 것은 실수가 될 수 있다. 오히려 건물주를 더욱 의심하게 만들 수도 있다. 이 과정에서 중요한 것은, 임대인에게 신규 임차인을 확신시킬 수 있는 정보를 제공하는 것이다. 임차인에 대해 굉장히 궁금해할 것이다. 이러한 과정은 운이 아니라 실력의 영역에서 이루어지는 일이다.

운과 실력의 경계를 구분하는 것은 어렵지만, 확실한 것은 있다. 운만 바라보는 것은 실패로 이어질 확률이 높다는 것이다. 과거에 나는 실력을 쌓지 않고 운에만 기대했던 적이 있었다. 그 결과는 좋지 않았다. 운의 영역을 높이려면, 내 실력을 쌓아야 한다.

실력이 쌓이면 운이 더 자주 찾아온다. 내가 더 많은 준비를 할수록, 운이 찾아올 확률도 높아진다. 이를 위해서 나는 내가 부족한 부분이 무엇인지를 먼저 파악했다. 모든 것을 잘하려고 하는 것이 아니라, 가장 중요한 한 가지에 집중했다.

가장 중요한 한 가지를 찾고, 중요한 한 가지에 집중하라 나에게 돈을 주는 사람은 고객이다. 그렇다면 그 고객에게 돈을 받기 위해서는 어떤 일이 가장 중요한지 파악해야 한다. 고객을 만나고 미팅을 잡는 것이 돈을 버는 핵심이라면, 미팅에 필요한 실력을 쌓는 것이 가장 중요하다.

실력 없이 운만 기대하면 미팅은 성사되지 않는다. 광고와 SNS는 미팅을 돕는 도구일 뿐, 결국 미팅에서 고객을 설득하는 실력이 돈을 버는 핵심이다. 광고와 SNS가 아무리 잘되어 있어도 세일즈가 부족하면 계약으로 이어지지 않는다.

실행을 통한 시장 경쟁력

완벽주의에 속지 말자

사업을 하다 보면 누구나 목표를 세우지만, 그 목표를 모두가 달성하는 것은 아니다. 특히 새해가 되면 1년 계획을 세우는 사람들이 많다. 하지만 1년이라는 긴 시간을 며칠 만에 계획한다고 해서 큰 의미가 있는지에 대해 의문이 든다. 그럼에도 불구하고 새해에는 마음가짐이 달라지고 텐션이 올라가면서 완벽주의가 발동하는 시기다.

계획을 세우면서 수정을 거듭하고, 이게 정말 가능할까라는 고민 속에 노트에 빼곡히 적어둔다. 1년 계획을 세우고 나면 그걸 다시 상반기, 하반기로 나누고, 분기, 월, 주로 쪼갠다. 결국에는 하루하루의 일과가 완성되었을 때, 나는 완벽하다!라는 생각에 스스로 만족했다.

하지만 시간이 지나고 나면, 계획한 만큼 실천하지 못한 일이 너무 많아진다. 계획은 어느새 뒤로 밀려 있고, 나는 왜 이렇게 일이 안 되는 걸까라는 생각에 빠지곤 했다.

사업을 하다 보면 계획이 흔들리는 이유는 두 가지다.

첫째, 계획을 실천하지 않은 경우, 그리고 둘째, 예상치 못한 새로운 이슈가 발생한 경우이다. 1년 계획이 휘청거리는 것은 보통 두 번째 이유 때문이었다. 새로운 사업 이슈가 생기면, 처음 세웠던 계획은 자연스럽게 밀리기 마련이다.
사업 초기에 나는 매주 계획을 세우고, 월요일부터 토요일까지의 할 일을 설정했다. 그날 할 일을 모두 끝내고 퇴근하는 게 목표였다. 평균 퇴근 시간이 밤 10시~11시였지만, 그럼에도 계획이 제대로 이행되지 않는 것 같았다.

이제는 퇴근 시간을 줄이기 위한 전략이 필요했다. 2023년에 이어 2024년에도 비슷한 방식으로 일하고 있지만, 많은 것들이 바뀌었다. 처음엔 혼자 일하는 사업가였지만, 지금은 함께 일하는 파트너가 생겼고, 중개업과 마케팅 강의까지 진출하였다.

완벽주의에서 실행력으로

완벽주의를 추구했다면 지금의 내가 있을까? 완벽주의가 주는 장점도 많지만, 전쟁터 같은 사업 환경에서는 완벽주의가 우선순위가 될 수 없었다. 모든 것이 완벽해야만 일을 시작할 수 있다고 생각했다면, 이전처럼 실행력을 발휘할 수 없었을 것이다.

아래 내용은 그랜드 카돈의 말을 빌려 생각을 더한 내용이다.

사업에서 완벽주의 vs 실행력의 싸움에서 실행력이 우선인 이유는 명확하다. 대부분의 사람들이 완벽주의에 가깝기 때문이다. 사업은 대다수의 사람들이 모인 시장에서 승부하는 것이 아니다. 보통의 생각, 평범한 접근으로는 평범한 결과만 얻을 수 있다. 결국 평범한 사업은 몰락할 가능성이 높다.

나는 완벽주의를 추구하는 사람들이 많은 상황에서, 차별화된 실행력을 통해 시장에서 점유율을 차지해야 한다고 생각했다.

그래서 나는 기획-실행-수정-실행의 과정을 반복했다.

일을 잘하고 싶었지만, 완벽주의가 발동되면 시도조차 하지 못하는 경우가 많았다.

2025년은 변화의 속도가 그 어느 때보다 빠를 것이다. 지금 인기 있는 상품이나 서비스는 곧 평범해질 것이다. 내 중개 서비스, 강의, 마케팅도 빠르게 평범해질 수 있다. 나는 이미 팔려서 평범해진 방식은 더 이상 의미가 없다고 생각했다. 그 방식으로는 절대 고객의 만족을 줄 수 없기 때문에, 지속적인 개선과 변화가 필요하다.

집착과 혁신: 실행을 통해 시장을 이겨라

사업에서 보상은 돈, 명예, 만족감 등 다양한 형태로 다가온다. 하지만 이 보상은 단 한 번의 완벽함으로 이루어지지 않는다. 기획-실행-수정-실행을 반복하며 포기하지 않고 혁신해야 한다. 이것이 바로 집착이다.

내가 하고 있는 사업에 대한 집착을 시장에 던져 보고, 그 결과에 대한 평가는 시장에서 내려지기 때문에 시장의 이야기를 들어야 한다. 만약 나 혼자 내부적으로만 판단한다면, 시장에서 이길 수 없다는 사실을 깨달았다. 나는 항상 이런 질문을 던진다.

"억수르 부동산, 억수르 강의를 망하게 하려면 어떻게 해야 할까?"

이 질문에 대해 진지하게 고민하는 사람과 대화하다 보면, 내가 어떤 부분에서 부족한지를 가장 빨리 알 수 있다. 그리고 그 부족한 부분을 보완하기 위해 끊임없이 노력한다. 사업의 성공은 자신의 약점을 보완하고, 그 과정을 통해 계속해서 성장하는 데 있다.

완벽을 기다리지 말고 시장에 던져라

나의 상품이나 서비스가 완벽해질 때까지 기다리지 않고, 준비가 덜 되었더라도 시장에 던져보는 것이 중요하다. 사업을 하면서, 나는 항상 시장에 나를 시험해 왔다. 내가 준비한 아이템들이 시장에서 통할지는 결국 시장이 판단하는 것이다.

완벽하지 않은 상태에서도 시작하지 않았다면, 오늘 이 글을 읽고 있는 여러분과 만날 수 없었을지도 모른다. 시도하고, 실패하고, 다시 도전하는 과정을 통해 사업은 성장하는 것이다.

중개업 시장이든, 강의 시장이든, 내가 준비 중인 마케팅 사업이든, 어떠한 사업도 도전 없이 이루어지지 않는다. 사업을 하는 데 완벽한 시기란 없으며, 도전할 준비가 되었을 때 바로 시작하는 것이 중요하다. 나는 끊임없이 집착하며, 끈기 있게 도전하고 있다. 돈만 좇는다면 돈은 더 빨리 도망간다. 그래서 나는 오늘 할 일에 집중하고, 하루하루 스토리를 만들어가는 것이다.

사업은 결코 성공한 자의 전유물이 아니다. 사업은 도전하는 자의 무대이다. 나는 매일 도전하면서 시장과 끊임없이 소통하며 새로운 성장을 이끌어내고 있다.

흘러가는 대로 나를 던질 것인가?
아니면 내가 계획한 대로 살 것인가?

이 질문을 던지며 나는 타이탄의 도구들을 떠올렸다. 누구나 나비처럼 날고 싶어 하지만, 그전에 번데기에서 탈출하는 과정이 필요하다. 처음엔 아무런 경험도 없었다. "아, 이렇게 하는 거구나" 하며 하나씩 배워가던 시기, 그때는 마음은 편했지만, 돈은 전혀 벌리지 않았다.

공인중개사로서의 이상적인 모습으로 나아가는 것처럼 보였지만, 실상은 그 모습이 보편적일 뿐 나만의 색깔이 없었다.

내가 보편적인 모습을 취하고 있다는 사실을 깨달았다. 합리적인 시스템을 갖추고 강요된 역할에 충실했지만, 그 결과는 보잘것없었다. 그래서 결심했다. 나만의 색깔을 찾아야겠다고. 모든 사람을 만족시킬 수 없다는 사실을 받아들이고, 나와 소통을 시작한 사람들, 그 사람들과 끝까지 깊이 소통하자는 마음을 먹었다.

이 소통의 시작은 바로 진심에서 비롯된다. 고객의 입장에 서서, 그들이 상상하는 모든 것을 상상하고, 그들이 두려워하는 것들을 내가 먼저 파악해 나가기 시작했다. 경험이 있다면 더욱 좋지만, 경험이 없어도 괜찮다. 나는 고객이 될 수 있다. 그들이 지금 어떤 상황에 처해 있을까? 무엇이 그들에게 1순위일까? 그들의 플랜 B는 무엇일까? 이런 질문을 시작으로 고객을 리드했다.

나는 직원들에게 항상 말한다.

"제발 미친 생각을 해라!"

가끔은 깜짝 놀랄 만큼 파격적인 아이디어를 들을 때도 있다. 하지만 그 순간, 그 직원은 뇌가 한번 열리는 경험을 할 것이다. 뇌를 최적화하는 첫 단계는 바로 기존의 틀을 깨는 것이다.

사업을 하다 보면 그저 주어진 일을 처리하느라 하루하루가 바쁜 사람들이 많다. 매번 이런 식으로 살아가는 사람들과는 가까이하지 않는 게 좋다. 우리는 끊임없이 생각해야 한다. 아이디어는 무조건 많아야 하고, 그중 우선순위를 두고 실행 플랜은 간단하게 가져가야 한다. 이것이 나의 방식이다. 아이디어를 쏟아내는 것이 쉬운 일은 아니지만, 그중에서 우선순위를 결정하는 것이 더 어렵다. 하지만 우선 아이디어를 내는 게 첫걸음이다.

내가 패를 공개하는 이유

공인중개사로서 실거래가가 나오면, 사람들은 늘 묻는다.

"어디서 거래된 거지?"

마찬가지로 나도 관심이 간다. 하지만 이제 내부적인 정보는 숨기지 않고 오픈하기로 했다. 유튜브, 네이버 부동산 등 다양한 플랫폼을 통해 나의 정보를 공개한 이유는 간단하다. 고객의 본능을 분석하고, 그들의 반박을 제거하기 위해서다.

손님을 만나면 물건을 팔기 전에 나를 먼저 팔아야 한다. 하지만 그 과정에서 운에 의존한다면 큰돈을 벌 수 없다. 손님에게 신뢰를 쌓기 위해, 나는 차량을 이용하지 않고 직접 걸어서 매물을 소개하곤 한다. 상가 손님에게 걸어서 15분, 20분 거리의 매물을 보여주는 것은 그들이 나를 더 신뢰하게 만드는 중요한 과정이다.

타이탄의 도구들: 진정한 실행력

이 모든 과정은 고객의 본능을 분석하고, 그들이 가질 수 있는 반박 요소를 제거하는 일이다. 타이탄들이 성공할 수 있었던 이유는 그들이 자신만의 도구를 가지고, 철저히 실행했기 때문이다. 나는 끊임없이 고객의 마음을 읽고, 그들의 불안을 해소하며, 내가 가진 도구들을 최대한 활용했다.

단순한 정보 제공이 아닌, 고객의 신뢰를 얻는 과정에서 나의 미친 생각들이 효과를 발휘했다. 내가 이 글을 통해 말하고 싶은 핵심은 바로 그것이다. 뇌를 열고, 생각을 실행에 옮기고, 진정한 소통을 통해 나만의 색깔을 찾는 것. 이것이 바로 성공으로 가는 길이다.

타이탄의 도구들? 그것은 내가 만들어 가는 나만의 방식이며, 이 길을 통해 나도 타이탄이 될 수 있다.

에필로그

중개업을 운영한 지난 3년은 새로운 도전과 변화로 가득했던 시간이었다. 처음엔 아파트 중개만 해오던 내가 상가로 영역을 넓히면서 한계를 넘어서는 일이 얼마나 중요한지 배웠다. 사람들을 신뢰하고 업무를 위임하는 과정을 통해 시스템을 구축했고, 사람들 덕분에 회사의 성장에 더 집중할 수 있었다. 쉬운 길은 아니었지만, 하나씩 새로운 영역에 도전하며 지금의 자리까지 올 수 있었다.

2024년은 강의 시장에 도전하는 해였다. 수백 명의 공인중개사님을 만나며 내 경험을 나눌 수 있었고, 그 과정을 통해 사업이 더 크게 확장되는 것을 실감했다. 그리고 이제는 그 모든 과정을 글로 담아 이렇게 책을 쓰고 있다. 하지만 이 모든 길을 나 혼자 걸어온 것은 결코 아니다. 늘 곁에서 믿음을 주고, 아들 둘을 혼자서 돌보며 나를 지지해 준 아내가 아니었다면 2022년 마이너스 시절을 견뎌내지 못했을 것이다. 아내의 헌신과 묵묵한 응원이 없었다면 지금의 성장은 불가능했을 것이다. 사업은 혼자가 아닌 가족과 함께한다는 무게감을 알게 되었다. 이 글을 통해 감사의 마음을 전한다.

또한 이숙향 공인중개사의 도움이 없었다면 이 책은 출판되지 못했다. 강의 사업의 전 과정에 대한 서포터즈와 책 완성에 대한 도움까지 전폭적인 지지를 받았다.
신규 사업의 새로운 도전이 쉽지 않았을 것이다. 낯설고 막막했을 것이다. 내가 갖지 못한 다양한 장점들 특히 책임감과 일단 행동하는 마인드가 훌륭하다. 덕분에 간이과세자에서 일반과세자로 일반과세자에서 다음 버전으로 도전할 수 있게 되었다.

신규 사업의 핵심 멤버이자 아이디어 제조기 최온유 공인중개사와 함께 할 수 있기에 2025년 도전이 외롭지 않다.

억수르 부동산의 매출을 올려준 윤희양, 이선재 공인중개사가 없었다면 위임이라는 시스템을 적용할 수 없었다. 최전선에서 묵묵히 자신의 일에 최선을 다해준 모두에게 고마운 마음을 전한다. 자본주의에서 패배하지 않기 위해 전진할 수 있는 원동력이다.

2025년, 나는 또 다른 성장을 꿈꾼다. 전국의 공인중개사분들의 성장과 성공에 함께할 수 있도록 더 넓고 강한 네트워크를 구축하고자 한다. 이 과정에서 이 책이 공인중개사분들에게 작은 힘이 되기를 소망한다.

마지막으로 나의 강의를 들어주고 피드백을 준 수많은 대표님들께도 감사의 마음을 전한다. 그분들의 성원이 없었다면 지금의 도전과 성취도 의미 없었을 것이다.

이 책을 읽는 모든 중개사분들께 전하고 싶은 말이 있다. 여러분이 생각하는 것보다 여러분 자신의 능력과 가치는 상상할 수 없을 만큼 크다. 나 또한 그 사실을 깨닫기까지 수많은 도전과 실패를 거쳤다. 앞으로 펼쳐질 무한한 가능성의 길을 두려움 없이 걸어가시기를 바란다.

대한민국 공인중개사님들, 파이팅!

공인중개사 마케팅 클래스 카페

이루션 1:1 상담 카카오채널

이루션

채널홈을 폰으로
접속해보세요.

억수르 마케팅 강의 일부 후기

정말 이 강의는 보물인듯요
저 강의 듣고 해외 다녀온 후
여행관련이긴 하지만 글을 하나
올렸는데
그동안 올렸던 습관 버리고
억수르 대표님께서 알려주신 방법으로
금칙어와 이미지, 키워드 등을
적용했더니
1시간만에 블로그 뷰탭 1위로
올라갔어요 ㅠ
10년간 블로그 하면서
이런 경우는 처음이라 정말 감동입니다
ㅠ

앞으로 부동산 글 올리면서도
대표님 강의 늘 신경쓰고 교훈처럼
삼아
꼭 이 방에도 소개하는 날이 오게
열심히 할게요!!
정말 나시한번 감사드립니다

운좋게 ESR1기강의를 들게되어 첨 만나뵙게된 억수르님...
강의내용을 조금 알아듣고 이게 맞나 싶을때 쯤,,,,
2기강의 신청이 있어서 다시 얼른 신청했죠^^
첨에도 내용이 넘 좋았는데 따로 녹화본이 없어서 필기한것
만 가지고는 가물가물 하더라고요..
2기 신청하고 두번째 들으니 확실히 잘 들립니다. ㅎㅎㅎㅎ
억수르님의 기버마인드 진짜 최고시고~~
어떻게 저렇게 다 퍼주실까 하는 생각을 100번도 더 했습니
다.
몇달전 나름 유명하시 유튜버 공인중개사 마케팅강의를 35
만원정도 주고 들었었는데..정말 그 강의도 좋았지만
실무에 딱 필요한 강의는 이번강의였습니다.
다른강의와 비교도 안될만큼 퍼주시는 내용에 놀라웠고,,,아
이런방법으로 요즘은 하는구나...나 옛날사람??? ㅠㅠ 이란
생각을 하면서..
AI시대에 살면서 앞서나가는 사람이 되려면 계속 공부해야겠
다는 생각을 많이 하게하는 강의였습니다.
잘할 수 있을지는 모르겠지만 다시 블로그 꾸준히 알려주신
방법으로 쓰면서 재정비하고
마케팅 제대로 해서 손님과 많이 많이 만날 수 있는 날을 기
다립니다. ㅎㅎㅎㅎㅎ
억수르님 진짜 진짜 감사합니다.
저도 언젠가는 억수르님처럼 기버마인드로 재능기부할 수 있
는 날이 오겠죠?^^

어제 강의듣고 비공개된 블로그
열어보니 지수 떨어트리는 범인이
거기있더라구여. 억수르님이
알려주신방법으로 수정하여
이게
될까 했는데 일반이랑
준최2등급이었던게 바로 준최5오
올라가네요.
강의듣기전엔 블덱스로 조회해보고
누락이있길래 비공개로 돌리면 다
되는줄알았더니.....
나름 블로그에 시간 많이 투자하고
연구한다고 생각했는데
제가 알고 있던방식이 틀린것도 많고
어제 강의를 통해 많은것을 배웠어요~

쌤^^~~
이번에 과제 덕을
엄청 보고 있어요
전세사기 블로그
최근 상담 · 집본손님들 한테
다 보냈더니~~
거의 계약으로
이뤄졌구요
일처리도 수훨했어요
신뢰도가 올라가니
평소 믿지않아서
부연설명했던것들도

공인중개사 마이너스에서 억대매출 퍼널강의 무료VOD 신청

공인중개사 블로그 무료강의 신청하기

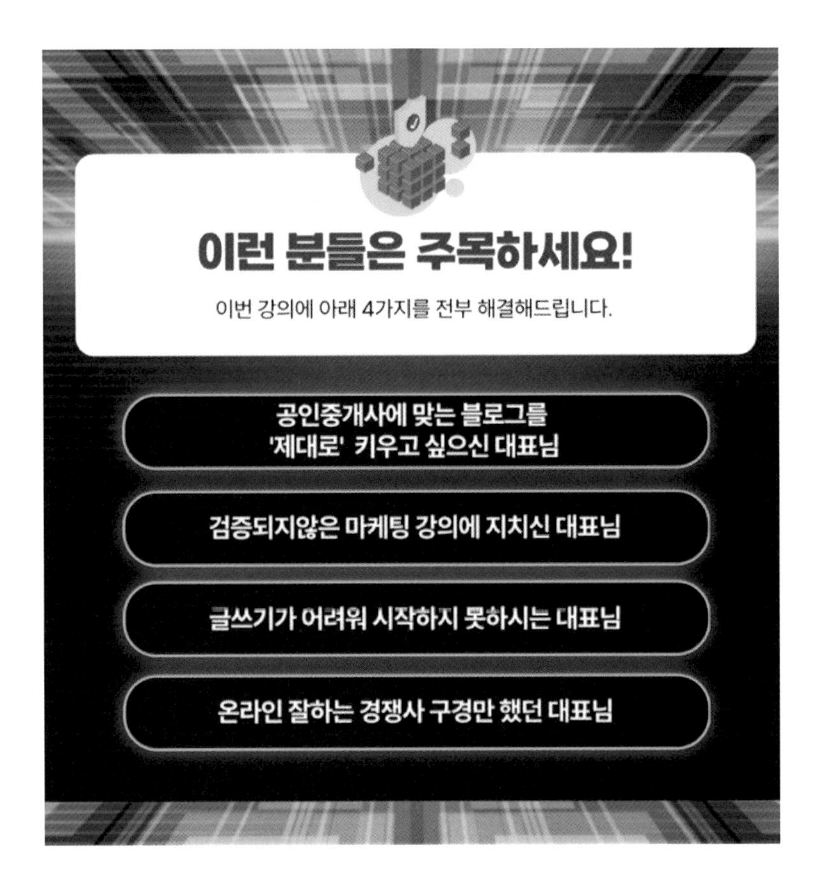